Rolf Schneider
Die Reise nach Jarosław
Roman

Luchterhand

Sammlung Luchterhand, November 1976
7. Auflage Juli 1983

Lizenzausgabe mit Genehmigung des
Hinstorff Verlages, Rostock
Alle Rechte für die Bundesrepublik Deutschland,
Westberlin, Österreich und die Schweiz bei
Hermann Luchterhand Verlag GmbH & Co KG,
Darmstadt und Neuwied
Lektorat: Ingrid Krüger
Umschlaggestaltung: Kalle Giese, Darmstadt
Herstellung: Martin Faust
© 1974, VEB Hinstorff Verlag, DDR – 25 Rostock
Kröpeliner Straße 25
Gesamtherstellung bei der
Druck- und Verlags-Gesellschaft mbH, Darmstadt
ISBN 3-472-61236-3

die trockene wolke pocht an den leeren himmel
ich kehre morgen zurück übermorgen auf jeden fall

man wird sich einstellen müssen aufs neue mit dem gesicht

Zbigniew Herbert

Ich heiße Gittie und wiege einundneunzig Pfund. Das ist nicht zuwenig bei hundertneunundfünfzig Zentimeter Körperlänge, aber die Wahrheit ist, daß die Medizinmänner ihre Visagen in Falten legen, wenn sie mich abklopfen. Ich sage ihnen dann: Mann, ich fühle mich erstklassig, Tatsache. Die gruppieren daraufhin ihre Falten und grinsen. Sie grinsen ausgesprochen affig, weil sie sowieso alles besser wissen.

Irgendwie habe ich es ihnen auch zu verdanken, daß ich beinahe acht war, als ich auf die Penne kam, und der Rest der Verantwortung ist reine Kalendersache. Ich bin Ende Juni geboren, und der Stichtag für die Einschulung ist, glaube ich, Ende Mai. Demnach hätte ich das erstemal meinen Fuß in die Penne setzen müssen, als ich sieben war, aber dazu kam es nicht. Ich kriegte in diesem Jahr einen ganzen Haufen Krankheiten. Angina, Scharlach, Masern, noch mal Angina und Röteln. Ich war sieben Monate hintereinander buchstäblich ununterbrochen krank, und als ich es nicht mehr war, sah ich so furchtbar aus, daß der Schularzt die Hände über dem Kopf zusammenschlug, als er mich sah. Er stellte mich schleunigst noch ein Jahr von der Schule zurück. Er verschrieb mir ungefähr dreihundert Stärkungsmittel, die alle überhaupt nichts halfen, und jedenfalls war ich acht, als ich auf die Penne kam. Vieles wäre wahrscheinlich anders gekommen, wenn ich heute nicht achtzehn wäre, sondern beispielsweise zwei Jahre jünger. Dabei bereue ich überhaupt nichts. Ich stelle das alles bloß fest, sachlich.

Ich habe einen Personalausweis, mittelblau, mit Folie. Der Paß enthält eine Menge Angaben über mich, zum Beispiel daß ich in Berlin geboren bin und wann. Berlin ist groß, und kein Mensch kann ernsthaft behaupten, daß Grünau und Weißensee dieselbe Stadt sind, nicht mal dieselbe Welt. Ich persönlich bin Prenzlauer Berg aufgewachsen. Ich bin großzügig und schlag bißchen von Berlin-Mitte dazu, sagen wir: alles zwischen Alexanderplatz und Weidendammbrücke; mir reicht das als Berlin, und ich bin sowieso der Meinung, die Hauptstraße von Mitteleuropa ist die Schönhauser Allee.

Ich komme hier nicht drum herum, fünf Worte über die Greise zu sagen. Mein Greis ist ein dürrer Typ mit Halbglatze und vierzig. Der Greis arbeitet irgendwas mit Biologie und Chemie und Pillen und macht das in Buch* in irgendeinem Riesenstall, wo sie zweihundert oder zwei Millionen Eierköpfe eingesperrt haben, damit sie was mit Biologie und Chemie und Pillen machen.

Abends ist der Greis still. Früher interessierte er sich für Fußball, aber seit ein paar Jahren ist er Sammler. Er hat ungefähr drei Dutzend Modellokomotiven. Diesel und Dampf und elektrisch und alle möglichen Baujahre und Firmen. Aber Lokomotiven und eben auch Modellokomotiven gibt es längst nicht so oft wie zum Beispiel Geldstücke, und deswegen sammelt der Greis zusätzlich Münzen. Zehn-Mark-Baden von achtzehnhundertzweiundsiebzig und Zwei-Mark-Lippe von neunzehnhundertsechs und so. Die Münzen hat er in einem kleinen dunkelbraunen Rollschrank mit lauter flachen Schüben. Oben auf dem Rollschrank stehen die Modellokomotiven. Bis vor einem Jahr hätte ich gesagt, der Greis ist nicht umwerfend, aber er ist in Ordnung, Tatsache.

Wahrscheinlich hätte ich vor einem Jahr auch dasselbe von der Greisin gesagt, und jedenfalls muß ich feststellen, daß sie ungeheuer rumort. Mann, die schafft sich! Zum Beispiel, die Greisin hält Vorträge, und gleichzeitig besucht sie Vorträge. Manchmal frage ich mich, warum sie Vorträge besucht, wenn sie selber welche hält. Die Greisin ist vierzig wie der Greis und will irgendeine Prüfung machen. Ihr Job ist Ingenieur. Irgendwas mit Kältetechnik. Ich kann mir nicht viel darunter vorstellen. Ich verstehe nichts davon. Interessiert mich auch nicht, sachlich.

Die Greisin behauptet, sie wäre als junges Mädchen so spillerig gewesen wie ich. Keine Ahnung, was sie mit solchen Sprüchen bezweckt. Mich schockt sie nicht. Vielleicht will sie sich selber trösten. Die Greisin hat Übergewicht und geht jede Woche für

* Worterläuterungen am Schluß des Bandes.

zehn Em in die Sauna am Alexanderplatz. Sie ist hinterher immer leicht violett um die Kiemen. Ich finde nicht, daß sich das Schwitzen bei ihr lohnt.

Ich war nie dagegen, daß die Greise bei jedem Anlaß, der sich ergibt, Fahnen vors Fenster hängen, aber ich war schon lange dagegen, daß ihr Lieblingstyp im Fernsehen Lembke heißt, ein bebrillter Penner, der vier andere Penner raten läßt, was noch ein anderer Penner für einen Beruf hat, Knopfmacher zum Beispiel oder Rollmopsdreherin.

Ich kann nicht sagen, daß mich die Greise viel gestört haben, und ich kann nicht sagen, daß ich die Greise viel gestört habe, dazu war einfach zuwenig Gelegenheit, jedenfalls ungefähr siebzehn Jahre, und von denen gab es vierzehn Jahre schließlich Oma Hela.

Für Oma Hela muß ich ganz weit ausholen. Für Oma Hela muß ich mich ungeheuer anstrengen, damit ich Sätze finde, die ich sonst nicht brauche, weil es so was wie Oma Hela nicht noch mal gibt.

Ich fange damit an, daß ich sage, Oma Hela kam aus Jarosław. Auf Landkarten ist Jarosław eine kleine Stadt in Ostgalizien, auf der Strecke zwischen Krakau und Przemyśl. Für mich liegt Jarosław erst mal im Kehlkopf und in den Händen von Oma Hela.

Ich muß dazu sagen, daß ich mit vollem Namen Brigitte Marczinkowski heiße. Ich heiße Marczinkowski, weil mein Greis Marczinkowski heißt. Oma Hela hieß mit Vornamen Halina und kam, wie gesagt, aus Jarosław. Jetzt wird ziemlich jeder kommen und sagen, Oma Hela aus Jarosław ist die Mutter von Günter Marczinkowski, meinem Greis. Das stimmt aber nicht, weil Günter Marczinkowski aus Döbeln in Sachsen kommt. Er redet auch so, bißchen. Oma Hela hieß mit Nachnamen Schroeter, wie die Greisin, ehe die Marczinkowski hieß. Oma Hela kam aus Jarosław, und also kam auch die Greisin aus Jarosław, so ist das.

Ich bin Prenzlauer Berg aufgewachsen und rede, wie die Leute Prenzlauer Berg reden. Bei mir endet zirka jedes dritte Wort auf a. Die Greisin rollt das r mit der Zunge, und wer scharfe Ohren hat, merkt hundertprozentig, daß die Greisin nicht aus Prenzlauer Berg kommt. Ich spreche gar nicht von Döbeln in Sachsen. Und wenn schon die Greisin nicht redet, wie die Leute Prenzlauer Berg oder Döbeln in Sachsen reden, so ist das noch gar nichts gegen die Art, wie Oma Hela geredet hat. Mann, das war Sprache! Das war nicht Sprache, das war Musik. Das war nicht Musik, das war großer Auftritt. So wie wenn der berühmte Rocksänger Jimi Hendrix seine Gitarre röhren läßt in seinen größten Momenten; und falls ich mich damit nicht deutlich mache: Oma Hela hat genau so geredet, wie eben Leute aus Jarosław reden.

Wenn die Greisin heute behauptet, sie hätte früher ausgesehen, wie ich inzwischen aussehe, was ich für eine glatte Lüge halte, so behaupte ich dagegen, daß ich aussehe, wie Oma Hela ausgesehen hat, ganz früher und ganz zuletzt. Oma Hela war keine einsneunundfünfzig groß, höchstens einssiebenundfünfzig. Oma Hela hatte schwarze Augen und rotblonde Haare, das wirkte ungeheuer. Oma Hela hatte weiße Zähne, die waren garantiert echt, und auch ihre Haare waren echt, ich meine die Farbe; Oma Hela hätte lieber sonstwas mit dem Geld gemacht, als Frisörfarbe dafür zu kaufen, wie es beispielsweise die Greisin macht. Oma Hela war mager und ungeheuer kregel.

Auf die Gefahr, daß mir dabei der Saft aus allen Poren läuft, muß ich daran denken, wie ich mit Oma Hela in der Küche hocke. Ich meine jetzt die Küche in unserer alten Wohnung. Die alte Wohnung lag direkt an der Schönhauser. Die Wohnung war ziemlich dunkel. Vom Küchenfenster konnte ich links runterspucken Richtung Magistratsschirm. In der Küche stand ein altes Sofa. In dem Sofa waren ein paar Federn kaputt. Wenn ich mich auf das Sofa setzte, knackten die kaputten Federn. Außer mir setzte sich niemand auf das Sofa, höchstens noch Oma Hela. Die Greise wollten, daß das Sofa aus der Wohnung verschwindet, zum Trödelhändler oder auf den Müll. Oma Hela sagte, das Sofa stammt aus Jarosław. Ich habe das Sofa verteidigt, und Oma Hela hat. Die Greise waren sowieso selten in der Küche. Solange Oma Hela da war, wurde gemacht, was Oma Hela wollte, die Greise hatten nicht viel zu sagen.

Ich hockte auf dem Sofa, wenn Oma Hela Bigos kochte. Bigos ist ungefähr dasselbe wie Irish-Stew, wenn bekannt sein sollte, was Irish-Stew ist, und jedenfalls ist Bigos eine ziemlich schwere Sache. Ich habe lange Zeit keine schweren Sachen im Magen behalten. Ich gab sie immer gleich von mir. Ziemlich ekelhaft, aber Tatsache. War vermutlich der Grund, warum ich so spillerig war. Die Greisin hat mich mit allen möglichen Plempen gefüttert, mal süß, mal pfeffrig. Schmeckte alles ziemlich ekelhaft, aber blieb drin. Ich war bloß weiter spillerig, weil einer von Plempen eben nichts anderes werden kann als spillerig. Oma

Hela hat mir Bigos gekocht, und als der wieder hochkommen wollte, hat sie geredet und Geschichten erzählt von Jarosław und ganz früher und Galizien, und da ist der Bigos drinnen geblieben; und sie hat noch eine Menge mehr gekocht, alles schwere Sachen, und die sind auch drin geblieben, und dem verdanke ich, daß ich einsneunundfünfzig geworden bin, zwei Zentimeter mehr als Oma Hela selber.

Oma Hela konnte auch singen. Ehrlich, es klang ungeheuer, wenn Oma Hela sang, und drei mittlere Kreissägen sind eine Art Caruso gegen die Art, wie Oma Hela sang. Und was sie sang, war Tatsache meistens Latein. Oma Hela sang nämlich am liebsten Kirchenlieder. Oma Hela war katholisch und fromm. Oma Hela sang ungeheuer, von Donanobispacem und so, während sie Bigos kochte, und durchs offene Fenster kam der Autolärm von der Schönhauser, ich hockte auf dem Sofa, und die kaputten Federn in dem Sofa knackten; und insgesamt muß gesagt werden, daß vielleicht gut war, wenn niemand Oma Helas Gesang hören konnte bei dem Autolärm von der Schönhauser, außer mir. Oma Hela ging jeden Sonntag zur ersten Messe in die Sankt-Gertruden-Kirche in der Greifswalder Straße. Ich will nicht nachrechnen, wieviel Zentner Wachs die Kerzen ausmachen, die sie allmählich verkokelt hat. Dabei war Oma Hela geizig. Im Gemüseladen hat sie aus Prinzip um fünf Pfennige gehandelt, und sie hat das Grünzeug erst genommen, wenn ihr der Gemüsefritze die fünf Pfennige nachgelassen hat. Wahrscheinlich dachte er, die Alte spinnt. Oma Hela war aber dann auch wieder nicht geizig, denn bei dem Leierkastenmann, der früher manchmal kam Ecke Schönauser Allee – Buchholzer Straße, gab sie immer zwei Em, wo andere höchstens einen Groschen gaben.

Oma Hela konnte erstklassig stricken.

Mit Oma Hela bin ich zum erstenmal in meinem Leben richtig verreist. Ich war damals sieben, und es war nach meiner Krankheit. Die Reise passierte überhaupt bloß, weil ich die Krankheit hinter mir hatte und so furchtbar aussah. Oma Hela hatte eine Verwandte in Mecklenburg. Cousine von einer Cousine von einer Cousine oder so. Aber wie verzwickt die Verwandtschaft auch gewesen ist, Jarosław macht seine Leute. Die beiden alten Frauen glichen sich so hundertprozentig, daß sie hätten Schwestern sein können. Sie waren beide auf die gleiche Art drahtig und klein und irgendwie verrückt. Wir wohnten in einem winzigen Dorf, von dem ich heute bloß noch weiß, daß es auf -ow endete. Wir wohnten in einem hornalten Bauernhaus. Ich schlief auf einem Strohsack, der immer fabelhaft knisterte, wenn ich mich bewegte. Oma Hela ging mit mir in riesige Buchenwälder. Wir sammelten Maipilze und kochten sie hinterher mit Wein und weißem Pfeffer. Oma Hela zeigte mir, wie sie eine Ziege ganz erstklassig melken konnte; das beeindruckte mich maßlos, und ich trank die warme Ziegenmilch ohne Widerspruch, obwohl sie grauenvoll schmeckte. Oma Hela zeigte mir ungefähr fünfzig, sechzig verschiedene Arten von Frühlingspflanzen, und von den meisten kannte sie bloß die polnischen Namen. Oma Hela redete abends mit ihrer Verwandten, die nicht ihre Schwester war, sondern bloß so aussah, und sie redete auf eine Art, daß ich kein Wort verstehen konnte, und dazu tranken die beiden schwarzen Tee und Kräutergeist. In dem Haus gab es zwei Hunde und acht Katzen. Ich lief mit nackten Füßen durch das Sumpfgras, das phantastisch kalt war, und es blieb lange Zeit überhaupt die schönste Reise, die ich je gemacht hatte, und ich wurde beinahe fett dabei.

Oma Hela konnte Mäuse mit der Hand fangen. Einmal hat sie einen Abend in der Küche gehockt bis tief in die Nacht. Sie hat gewartet, daß die Maus aus ihrem Loch kam. Oma Hela hat die Maus gefangen, und anschließend hat sie geheult vor Triumph, daß die Greise aus den Betten fielen. Sie hat uns allen die Maus gezeigt, und der Greisin wurde daraufhin schlecht. Oma Hela tat die Maus plötzlich leid. Sie zeigte mir, was für schwarze Knopfaugen eine Maus hat. Oma Hela wurde völlig sentimental, als sie sah, wie die Maus immer wieder versuchte, nach ihrem, Oma Helas, Daumen zu beißen. Von einem Augenblick auf den anderen wurde Oma Hela wütend. Sie schrie mich an, ich sollte mich gefälligst ins Bett scheren, was ich aber nicht tat. Ich legte mich ins Fenster und sah prompt, wie Oma Hela den Hof betrat, irgendwelche Sätze aus Jarosław murmelte und dabei die Maus ganz behutsam wieder aussetzte.

Oma Hela kam mitten im Krieg von Jarosław nach Berlin, weil sie keinen Mann mehr hatte, bloß ein kleines Kind, und daß sie aus Jarosław fortgegangen war, ist die einzige Tat in ihrem Leben, die sie wirklich bereut hat, glaube ich.

Oma Hela war ungeheuer abergläubisch. Sie hat auch an Geister und Stimmen geglaubt, aber sie hat nie darüber geredet, und ich habe sie auch nie danach gefragt.

Ich war vierzehn, und Oma Hela war neunundsechzig, da fing sie an, schlecht zu schlafen, und sie sagte auch was von Schmerzen in der Brust. Die Greisin ließ einen Medizinmann kommen, und der Medizinmann verschrieb ihr eine Menge Tabletten und Soßen in dunkelbraunen Flaschen. Oma Hela schmiß das Zeug heimlich in den Abfall. Oma Hela hielt nichts von Medizinmännern. Oma Helas einziges Buch war ein Kräuterbuch. Das Kräuterbuch war uralt und speckig und völlig zerfleddert und stammte todsicher aus Jarosław. Ich mußte mit dem Kräuterbuch nach Malchow fahren oder bis nach Blankenfelde und mußte die Sachen suchen, die mir Oma Hela in ihrem Kräuterbuch angekreuzt hatte. Ich fand immer bloß die Hälfte. Vielleicht wäre es einfacher gewesen, der Greis hätte die Kräuter gesucht. Der Greis arbeitete in Biologie und hatte hundertprozentig viel mehr Ahnung von Kräutern. Oma Hela hat ihn trotzdem nicht gefragt. Sie hatte ihre Gründe, und die Gründe waren völlig in Ordnung.

Oma Hela kam ins Städtische Krankenhaus in der Nordmarkstraße. Ich bin jeden Nachmittag hingegangen. Ich habe sie besucht, und ich habe mit ihr über Jarosław geredet. Die Greise sind bloß zweimal die Woche gegangen, wenn öffentliche Besuchszeit war.

Oma Hela hat über sechs Wochen gelegen. In dieser Zeit hat sie plötzlich angefangen zu rauchen, obwohl das streng verboten war. Ich mußte ihr trotzdem Zigaretten und Streichhölzer mitbringen, und manchmal, wenn ich sie besuchte, roch sie ganz eindeutig nach verbranntem Tabak, jedenfalls in der ersten Zeit.

Später wurde sie immer kleiner in ihrem Bett und irgendwie gelb. Als ich eines Nachmittags in das Krankenhaus kam, fingen mich die Schwestern auf dem Korridor ab. Sie sagten, Oma Hela wäre verlegt worden und ich sollte lieber wieder gehen. Sie sagten das auf eine Art und zogen dabei Gesichter, daß ich gleich Bescheid wußte. Ich kehrte um und hatte einen Kloß im Hals. Ich erinnere mich noch, es war ein enorm windiger Tag.

Als die Greise die Beerdigung machen wollten für Oma Hela, war plötzlich klar, daß sich so einfach kein Priester dafür kriegen ließ. Oma Hela ist ihr Leben lang jeden Sonntag in die erste Messe gegangen, sie hat zentnerweise Kerzen gestiftet, sie hat lateinische Kirchenlieder gesungen, nicht bloß in der Kirche, auch in unserer Küche, beispielsweise beim Bigoskochen, sie war ungeheuer katholisch und fromm, aber sie hat nie, solange sie in Berlin gewohnt hat, und das waren bald dreißig Jahre, niemals in dieser Zeit, sage ich, hat sie einen Pfennig Kirchensteuer bezahlt. Sie war eben zu geizig. Der Greis ist zu irgendeiner Behörde gelaufen und hat dort offenbar was versucht. Sein Pech war vermutlich, daß er selber nicht in der Kirche war, auch die Greisin war nicht; jedenfalls hat er nichts erreicht, wie meistens, wenn er so was unternimmt.

Oma Hela ist nach Baumschulenweg gekommen. Sie ist verbrannt worden. Ich weiß nicht, ob ihr das recht gewesen wäre. Ich kann sie ja nicht mehr fragen.

Mit dem Tod von Oma Hela hatte ich meinen ersten Kneks. Das Wort ist meine Erfindung, und darauf bin ich unheimlich stolz. Dabei ist Kneks eine Sache, von der ich überhaupt nicht weiß, ob sie auch andere haben, und überhaupt ist es so, daß sich von einem Kneks wahrscheinlich niemand einen Begriff machen kann.

In Berlin gibt es eine Menge Sand. Zwischen dem Sand gibt es manchmal große schwarze Mistkäfer. Wenn jemand mit seiner Ledersohle auf einen von diesen dicken schwarzen Pillendrehern tritt und der Käfer platzt unter dem Gewicht, macht es Kneks. Das Geräusch ist genau so, daß sich einem das Gedärm verknotet, und ich kann danach zirka zwei Nächte nur schlecht schlafen.

Ich will damit sagen, Kneks ist auf jeden Fall furchtbar, aber ich habe nicht bloß Kneks, wenn dicke schwarze Mistkäfer platzen. Denke ich genau darüber nach, ist mir das mit den kaputten Pillendrehern höchstens einmal in meinem Leben passiert. Es macht Kneks bei ganz verschiedenen Sachen; die können für sich ganz stille Sachen sein, und es macht dann eben in mir Kneks, irgendwo im Hinterkopf, und genau das ist das Furchtbare. Es gibt natürlich großen und kleinen Kneks. Denke ich genau darüber nach, ist die Welt voll von unheimlich viel Anlaß zu Kneks. Ich sehe dann vor mir eine Art Mont Klamott, so wie in Lichtenberg, mit nichts als Kneks, großem und kleinem, und obenauf sitzt der Kneksgott und zerkaut zwischen seinen verdammt dreckigen Zähnen lauter schwarze Pillendreher.

Der Tod von Oma Hela war also der erste Kneks für mich. Sechs Wochen später gab es den nächsten Kneks, aber der hing mit dem ersten zusammen und war verglichen damit bloß eine Art Mini-Kneks.

Die Greise räumten die Wohnung. Unsere prima alte Wohnung mit Küche direkt überm Magistratsschirm war ihnen vermutlich nicht mehr fein genug. Ich will zugeben, daß sie, wo jetzt Oma Hela nicht mehr da war, auch zu groß war. Die neue Wohnung lag sechster Stock Mollstraße, in einem von den neuen Klötzen mit den hellgelben Pinkelbudenkacheln. Der Umzug dauerte einen Tag. Weil ich Kneks hatte, war ich krank. In der neuen Wohnung waren lauter neue Möbel. Ich rede nicht davon, daß Oma Helas prima altes Sofa mit den kaputten Sprungfedern nicht mit in die neue Wohnung kam. Ich hätte protestieren können, aber ich war krank. Ich hätte protestieren können, obwohl ich krank war, aber ich sah ein, daß Oma Helas Sofa aus Jarosław in die Küche an der Schönhauser gehörte und genau dorthin und also in der scheißneuen Wohnung an der Mollstraße nichts zu suchen hatte.

Der Umzug dauerte einen Tag, und das Einräumen dauerte drei Tage, und bis ich wieder okeh war, dauerte zirka sechs Tage. In dieser Zeit verkündete die Greisin, sie hätte sich ein Vierteljahr unbezahlten Urlaub genommen. Offenbar wollte sie mir den Übergang in ein Dasein ohne Oma Hela erleichtern. Von ihrem Standpunkt aus war das möglicherweise gut gemeint, aber wenn sie glaubte, sie könne mir Oma Hela ersetzen, so hatte sie sich grauenvoll geirrt.

Wir liefen ziemlich überflüssig in der neuen Wohnung umeinander herum. Die Greisin interessierte sich für alles, was ich tat. Oma Hela hatte das nie gemacht. Nach einer Weile fing die Greisin an gereizt zu werden. Sie schielte öfter am Tag nach ihren Tabellen, Rechenstäben und Schnellheftern. Zwischendurch brachte sie es fertig, daß sie dummes Zeug über Oma Hela von sich gab. Vielleicht war das ihre Methode, mir Oma Hela abzugewöhnen, aber sie hätte das lieber unterlassen sollen. Ich sagte ungefähr, ohne Oma Hela wäre ich überhaupt kein Mensch und das solle erst mal jemand nachmachen. Nach sechs Wochen brach die Greisin ihren unbezahlten Urlaub ab und war froh, daß sie wieder von Herzen Kältetechnik machen durfte. Ich hatte nachmittags meine Ruhe, und morgens ging ich zur Schule.

Solange Oma Hela lebte, hatte ich eher Horror vor Schule und riß Schule einfach bloß ab. Meine Zensuren waren Durchschnitt. Es muß einer schon ein absolutes Rindvieh sein, wenn die Pauker sich aufraffen, daß sie Zensuren geben, die schlechter sind als Durchschnitt, und so viel kann ich behaupten, trotz Horror, daß Gittie Marczinkowski zu keiner Zeit ein Rindvieh war.

Das alles wurde explosionsartig anders, als wir sechsten Stock Mollstraße wohnten. Die Greise waren unterwegs. Ich riß vormittags Schule ab. Ich ging heim. Auf dem Küchenbord in der neuen Küche stand irgendwelcher Fraß, den mir die Greisin gekocht hatte. Ich brauchte ihn bloß warm zu machen. Kartoffelbrei oder Spaghetti. Ich machte Kartoffelbrei und Spaghetti warm und schlang sie runter. Ich brauchte keine Angst zu haben, daß sie nicht drin blieben. Ich war kuriert durch Oma Helas Bigos. Oma Hela war tot. Ich wohnte in der Mollstraße. Ich ging zum Fenster. Unten waren Autos und waren laut und stanken. Es waren vermutlich die gleichen Autos wie in der Schönhauser, aber ich war nicht mehr in der Schönhauser.

Ich hätte vielleicht lesen können. Die Greise haben ein Bücherregal. Die meisten Bücher waren Schwarten, wie sie die Greise brauchten. Pflanzenkunde und Kältetechnik. Daneben höchstens noch Schwarten, die sie irgendwann als Prämien gekriegt hatten, mit eingeklebten Urkunden. Also jedenfalls, mit Lesen war nichts.

Ich hätte Radio hören können, und tatsächlich habe ich Radio gehört. Ich habe in dieser Zeit erst mal Dixieland entdeckt, da man ja systematisch vorgehen muß. Also Cy Oliver und Papa Bue und Humphrey Littleton. Aber so was ist nachmittags nicht programmfüllend. Es ist überhaupt unglaublich, was nachmittags im Radio fällig ist, nämlich Dixieland zirka bloß fünfundvierzig Minuten maximal und die übrige Zeit Kinderfunk, Streichquartett und Blick in neue Bücher.

Das nächste Kino lag viel zu weit weg, außerdem stand ich damals überhaupt nicht auf Kino.

Ich habe also die Nachmittage für Schule gearbeitet und aus keinem anderen Grund, als um die Nachmittage totzuschlagen, sachlich. Das Ergebnis war, daß ich raketenartig aufstieg und nach sieben Monaten Spitze war.

Der Greis ist glatt aus dem Sessel gekippt, nachdem er mein nächstes Zeugnis beäugt hatte. Ich kriegte von ihm eine neue Armbanduhr von Glashütte, aber die war nach einem Dreivierteljahr im Eimer. Die Greisin sagte was, Oma Hela hätte mich eben in der Entwicklung behindert und sie, die Greisin, hätte das schon immer gewußt. Ich hätte jetzt kreischen können und sagen, daß sie keine Ahnung hätte von Oma Hela, auch nicht von mir, und ich hatte zusätzlich Lust, Schule für mich wieder als Horror zu erklären wie früher. Ich habe nicht gekreischt. Damals war ich vierzehn. Irgendwie hatte ich noch Respekt vor den Greisen. Der Horror wäre außerdem nur Krampf gewesen, und schließlich mußte ich mit den Nachmittagen fertig werden.

5

Siebente Klasse lernte ich Rosi kennen. Rosi war ein fabelhafter Typ. Sie war ungeheuer knochig und kein bißchen hübsch. Sie hielt sich krumm. Sie trug eine Brille. Sie hatte dabei eine Art, mit Leuten umzugehen, daß diese Leute sofort in die Knie gingen und Rosi aus der Hand fraßen. Rosi hatte eine Stimme, als gurgle sie jeden Morgen mit Salzsäure und Ziegelsplitt, aber sie brauchte nur den Mund aufzumachen und mit dieser Stimme irgendwas zu sagen, und die Leute wurden weich.

Rosi war drei Klassen über mir, aber da ich bekanntlich zwei Jahre älter war als der Schnitt in meiner Klasse, kam ich Rosi bis auf ein Jahr näher. Rosi eröffnete in unserer Penne eine Art Ef-De-Jot-Kulturklub. Er war vollkommen anders als das, was solche Klubs sonst bieten, Laurentia-Singen und Laienspiel-Kiki und so. Rosi hatte einen Vater. Der Vater war Dispatcher beim volkseigenen Kraftverkehr in Lichtenberg. Von Rosis Vater kriegten wir einen abgewrackten Anderthalb-Tonnen-Lastwagen, der hinten offen war.

Der Lastwagen hätte eigentlich ausgeschlachtet werden müssen und anschließend als Schrott verkauft. Irgendwie brachte es Rosis Vater fertig, daß er den Lastwagen vorm Ausschlachten und Schrottverkaufen bewahrte. Er sorgte auch dafür, daß der Motor einigermaßen am Leben blieb. Vier, fünf Kilometer ließen sich völlig problemlos damit fahren.

Wir malten den Lastwagen erst mal von außen unheimlich bunt. Überwiegend orange und grün, in Streifen. Wir klebten eine Menge Plakate und Bilder darauf und überhaupt alles, was uns in die Hände fiel und für so was geeignet war. Wir brachten zwei Wochen damit zu, den Wagen äußerlich herzurichten, und am Ende sah er vollkommen irre aus.

Es ging dann noch darum, für den Wagen, wenn wir ihn brauchten, einen Fahrer zu kriegen. Wir setzten uns in die Betriebskantine vom Kraftverkehr und redeten mit den Leuten. El-Ka-We-Fahrer sind ungeheure Typen. Sie riechen nach Dieselöl, Zigarettenrauch und trinken literweise Kaffee. Sie können umwerfende Geschichten erzählen, von Landstraßen, Anhaltern, Pannen, Pennern und von nächtlichen Fernfahrerkneipen. Wenn wir schließlich sagten, was wir von ihnen wollten, gähnten sie ganz träge hinter ihren vorgehaltenen Pranken und gaben uns zu verstehen, daß sie einen unregelmäßigen Dienst hätten und ihre Freizeit in jeder Sekunde brauchten. Wir schafften es trotzdem manchmal, daß wir einen von ihnen kriegten, und die übrige Zeit fuhr uns Rosis Vater.

Danach war es jedesmal schon ein enormer Anblick, wenn wir mit dem irre bunten Anderthalb-Tonner von Lichtenberg Richtung Norden karrten. Ich glaube, unser Anblick war vollkommen lebensgefährlich. Wir stellten uns an alle möglichen Kreuzungen von Prenzlauer Berg. Wir standen oben auf dem Lastwagen in unseren blauen Klamotten und sangen und schrien bestimmte Sätze, die wir uns selber zurechtgeknetet hatten. Über das, was gerade los war. Haiphong oder Léros oder Johannesburg. Wir sangen die alten Sachen von Ernst Busch und *Guantanamera* und *We shall overcome*. Wir hatten jede Menge Publikum. Die Leute hörten uns zu und klatschten oder ärgerten sich und schrien, sie wollten ihre Ruhe. Es war eine ungeheure Sache, was zu tun und zu merken, daß die Leute reagieren.

Ich kam mit Rosi auch sonst manchmal zusammen. Sie hatte keine Mutter mehr. Ihr Vater gab in der Wohnung bloß Gastrollen, aber er konnte, wenn er da war, phantastische Salate machen. Manchmal buk er, was er auch ganz erstklassig konnte, ein Backblech voller Pizza mit jeder Menge Tomaten und kleinen Fischen. Rosi hatte eine fabelhafte Schallplattensammlung. Sie spielte Gitarre auf eine Art, um die ich sie noch heute beneide. Es waren immer ein Haufen Jungs hinter ihr her, weil sie, obwohl sie knochig war, mit ihrer riesigen Eulenbrille und ihren langen Fransen irgendwie aufregend wirkte.

Wir waren ein-, zweimal in der Woche mit unserem Wagen unterwegs. Wir waren zwanzig Leute. Dann ging Rosis Vater nach Kuba, um dort Lastwagen zu dispatchen. Rosi hatte gerade ihre zehnte Klasse hinter sich und schaffte es, daß sie mitkam. Damit war eindeutig die Seele aus dem Unternehmen raus. Wir anderen trafen uns noch paarmal. Wir ödeten uns gegenseitig an. Der Anderthalb-Tonner wurde ausgeschlachtet, und der Rest wurde Schrott. Ich weiß nicht, warum die besten Sachen, die wir haben, immer exportiert werden müssen.

6

Wenn ich vorhin sagte, daß ich in der Penne Spitze war, soll das nicht bedeuten, ich wäre allein Spitze gewesen. Außer mir war Regine Stuff Spitze, und über Regine Stuff muß ich acht Takte verlieren.

Regine war blond, wo ich dunkel bin. Regine war riesig, und ich war spillerig. Vom Standpunkt der Medizinmänner war Regine vor mir im Vorteil, aber der Medizinmännerstandpunkt ist Tatsache nicht der einzige Standpunkt auf der Welt. Regine Stuff war ungeheuer lang und wollte überhaupt nicht aufhören mit Wachsen. Sie war bestimmt nicht häßlich. Sie roch manchmal aus dem Mund. Ich kann das sagen, weil ich ein paar Monate neben ihr gesessen habe, und ich bin gegen fast jede Art von Geruch empfindlich.

Ich war mit meinem ersten Zeugnis bis an Regine Stuff herangekommen und zog mit dem nächsten Zeugnis lässig, wenn auch knapp, an Regine Stuff vorbei. Daraufhin legte sich Regine Stuff ins Zeug und zog mit mir ungefähr gleichauf. Die folgenden Zeugnisse brachten tote Rennen zwischen mir und Regine Stuff. Achte Klasse hatte ich leichte Vorteile vor Regine Stuff. Sie war mir eindeutig bloß in Sport überlegen, wo ich wegen Krankheit und Fehlen zwischen zwei und drei lag. Regine Stuff war in Sport glatt eins, was nicht bedeuten soll, daß sie jemals ernsthaft für Olympia oder wenigstens Kreismeisterschaften in Frage gekommen wäre.

Achte Klasse war Auswahl für E-O-Es. Klar war, daß Regine Stuff auf E-O-Es schielte, und klar war, daß ich mit Regine Stuff gleichauf lag und eindeutig besser war, zieht man Sport ab. Damals war ich scharf auf E-O-Es, schon weil Regine Stuff darauf scharf war und aus einer Menge anderer Gründe mehr.

Regine Stuffs Greis war Jurist, aber eigentlich war er bei der Nationalen Front, hauptamtlich. Mein Greis machte Biologie und Pillen in Buch. Pillen sind auch nicht ganz unwichtig für den Fortbestand von Mitteleuropa, aber Tatsache war, daß der Greis von Regine Stuff ungeheuer am Schaffen war und in einer Menge Ausschüsse rumhing. Das Gerangel wegen E-O-Es ging seit Monaten. Die Greisin machte den Greis scharf, daß ich auf E-O-Es kam.

Irgendwann wurde vom Chef-Pauker verkündet, auf die E-O-Es kämen höchstens zwei aus unserer Klasse. Die Welt hat selten gesehen, daß sich Gittie Marczinkowski so angestrengt hat wie in diesen Wochen. Ich habe nicht bloß die Nachmittage gesessen, sondern die Abende. Ich sah, wie der Greis enorme Achtung vor mir kriegte, aber ich habe mich nicht deswegen geschafft.

Irgendwann wurde vom Chef-Pauker verkündet, auf die E-O-Es kämen ein Junge und Regine Stuff. Der Junge war ein völlig farbloser Typ. Regine Stuff grinste und hatte das vermutlich alles schon vorher gewußt. Der Junge war eindeutig schlechter als ich. Damals hätte ich Lust gehabt, Regine Stuff eins auf ihren übelriechenden Mund zu geben, obwohl ich spillerig war.

Ich machte dem Greis Dampf. Die Greisin machte ihm auch Dampf. Der Greis ging an fünf Abenden zu fünf Leuten und hielt uns hinterher einen Vortrag. Die Zulassungsziffern für E-O-Es wären drastisch eingeschränkt worden. Arbeiterkinder müßten bevorzugt werden. Jungen wären jedenfalls zu bevorzugen. Zwei für E-O-Es aus einer Klasse wäre schon maximal.

Ich ging in mein Zimmer. Ich holte alle Schwarten von Stabü, Verfassung und so. Ich zeigte dem Greis den Artikel über Gleichberechtigung. Ich zeigte dem Greis den Artikel mit Recht auf Bildung. Ich sagte dem Greis, wenn früher mit Bildungsplanung Mist gemacht worden ist, wäre das nicht meine Schuld und ich sähe nicht ein, warum ich darunter leiden sollte. Ich sagte, ich wollte mein Recht auf Bildung. Ich sagte, ich hätte Spaß an Schule und wollte weiter, und wenn ich hinterher Ziegen melken müßte, würde ich das tun, aber ich hätte den Spaß gehabt, und das ist gottverdammt ein hinreißender Spaß. Ich fragte, warum Regine Stuff und nicht ich.

Der Greis ging noch mal zu fünf Leuten. Es war wie bei der Beerdigung von Oma Hela, wo der Greis keinen Priester gekriegt hatte. Der Greis sagte hinterher, die Anordnungen wären eben so.

Jungs müßten bevorzugt werden, und Kinder von Arbeitern müßten, und der Greis von Regine Stuff wäre eben so was Ähnliches wie Parteiarbeiter. Nach der zehnten Klasse wäre noch mal Auswahl für E-O-Es, und da hätte ich erstklassige Aussichten. Die Sache war gelaufen. Ich hatte meinen nächsten Kneks.

Das nächste war, daß die Greise sich ein Auto kauften. Das Auto war dunkelgrün. Es hatte drei Zylinder und fünfzig Pe-Es. Die Greise nannten es Wölke. Abkürzung von Wasser, Öl, Luft, Kraftstoff, Elektroladung, was alles miteinander für den Betrieb eines Autos wichtig sein soll. Der Greis war stolz auf das Auto. Ich fand den Namen Wölke idiotisch. Ich fuhr zirka achtmal mit Wölke nach Storkow, Saarow, Königs Wusterhausen, Oranienburg und so. Danach hatte ich die Nase voll von Wölke. Ich fand, daß er stank, und Laufen ist besser.

Ich riß meine Schule ab. Ich war schlaffer als vorher, aber ich war immer noch eindeutig Spitze. Ich ging viel ins Kino. Im Radio hatte ich mich systematisch von Dixieland weitergearbeitet bis Benny Goodman, Duke Ellington und Stan Kenton. Ich stand damals besonders auf Django Reinhardt. Gitarre und Geige sind einfach fabelhaft. Django Reinhardt spielte mit insgesamt drei Gitarren, einer Geige, einem Baß und Schlagzeug. Ich stand ungeheuer auf Django Reinhardt.

Damals fiel mir ein Buch in die Hände. Das Buch stand bei den Greisen im Regal. Ich wette, die Greise haben das Buch nie in den Fingern gehabt, obwohl es unheimlich zerlesen war. Das Buch war einfach nichts für die Greise, sachlich.

Das Buch spielte in Spanien, wo Krieg war. Das Buch hatte einer geschrieben, der das alles erlebt hatte, wenn auch nicht haargenau wie der Mann in dem Buch, denn der war nach drei Tagen tot. Der Mann in dem Buch hieß Jordan. Der Typ, der das Buch geschrieben hatte, hieß Hemingway. Der Mann, der Jordan hieß, sprengte Brücken. Jordan hatte ein Mädchen, das nannte er Kaninchen. Hemingway hat noch eine Menge mehr geschrieben, und er hat unheimlich viel erlebt. Das Mädchen, das Kaninchen hieß, hatte ganz kurze Haare. Hemingway hat sich eine Kugel in den Mund geschossen, in seinem Haus auf Kuba, wegen Krebs. Der Mann, der Jordan hieß, hatte einen Schlafsack. Ich habe das Buch mindestens sechs-, siebenmal gelesen. Eine glatte

Übertreibung, wenn ich jetzt sagen würde, bei dem Buch hätte ich einen Kneks gehabt, aber es war so was Ähnliches.

Als ich siebzehn war, hatten die Greise ihre Datsche auf einem Waldgrundstück bei Fredersdorf wegen der Gesundheit. Die Datsche hatte zwei Räume, einen Propangaskocher, drei Fenster und einen Brunnen außerhalb. Links von der Datsche stand eine Datsche, die so aussah wie unsere. Rechts war dasselbe. Vor den anderen Datschen standen Autos, Leute und Fahrräder. Es gab Kinder, die brüllten. Es gab Hunde, die jaulten. Es roch nach Kiefern, Bier und Kartoffelsalat.

Die Greise, als sie die Datsche bezogen hatten, sparten auf ein zweites Auto, weil sie sich immer stritten, wer von ihnen mit Wölke morgens fahren durfte, wobei der Greis den längeren Weg hatte, aber die Greisin hatte das bessere Mundwerk.

Im Radio war ich von Bigband-Sound ohne Umwege zu Beat vorgestoßen. Ich fand Frank Zappa dufte, aber ich stand auch auf Simon & Garfunkel. In der Greifswalder Straße gab es eine Diskothek. Ich ging manchmal hin. Ich fand die Typen dort lahm, aber ich fand die Musik manchmal dufte. Beispielsweise Beat aus Ungarn.

In den Ferien fuhren die Greise mit mir und Wölke in die Slowakei und nach Prag. Das Publikum in der Slowakei war so wie die Greise. Die Berge in der Slowakei waren grün und felsig. In Prag wurde mir schlecht. Ich glaube, das kam von den langen Fahrten in Wölke.

Wenn wir zu Hause waren, ging ich jetzt öfter an den Nachmittagen in die Schönhauser, bloß so.

Ich kannte Carlos eine Weile ganz gut. Ich kannte Carlos aus der Disco in der Greifswalder Straße. Ich saß eines Abends in der Disco und lutschte an einer Vau-E-Cola und hörte mir den neuen Jockey an. Der Jockey war seit fünf Tagen da, und ich kannte ihn noch nicht. Die Typen aus meiner Klasse, die zirka jedes Wochenende in den Discos rumhingen, nicht bloß Greifswalder, fanden den Jockey unheimlich *cool*. Der Jockey hatte eine Reihe neuer Bänder, von denen ich manche nicht kannte. Ein paar davon waren ziemlich dufte. Der Jockey selber quasselte mir zuviel und meistens dämlich. Es gibt Jockeys, die viel mehr *cool* sind.

Ich saß und lutschte an meiner Cola und hörte auf eine Aretha-Franklin-Nummer. Die Nummer war alt, und ich kannte sie; ich hatte sie schon früher gemocht, und ich war halbwegs beeindruckt. Mitten in die Nummer hinein baute sich ein Typ vor mir auf. Der Typ trug total ausgebleichte Jeans. Er machte Hallo, und ich machte Hallo.

Ich erwartete, daß er jetzt ganz lässig anfangen würde, mit den Hüften zu schlenkern, worauf ich überhaupt keine Lust hatte, weil ich die Aretha-Franklin-Nummer in Ruhe zu Ende hören wollte. Der Typ, wenn er je gekommen war, um was anderes zu tun, hatte es sich inzwischen besser überlegt. Er setzte sich neben mich. Er hörte mit mir zusammen zirka zwanzig Takte Aretha Franklin. Danach ließ er sich ein Bier kommen. Das war Carlos.

Wenn ich Carlos beschreiben soll, muß ich mit seinem Haar anfangen. Es war dunkelbraun und stand als phantastische Mähne in der Art von Angela Davis. Es gibt Typen, die schleppen Geld zum Frisör und lassen sich diese Art von Angela-Davis-Mähne mit der Brennschere machen. An Carlos sah ich sofort, daß die Mähne echt war.

Carlos war unheimlich dürr und hatte eine lässige Art, sich krumm zu halten. Im Gesicht sah Carlos aus wie ein Rabe. Er hatte eine enorme Nase. Es ist sicher nicht typisch für Raben, gelb zu sein. Vielleicht gibt es gelbe Raben, und ich weiß es bloß nicht. Carlos war jedenfalls ziemlich gelb im Gesicht, aber er wirkte dadurch nicht ungesund, und er war es auch nicht.

Nach ungefähr zwanzig Sätzen von Carlos hörte ich sofort heraus, daß Carlos kein Deutscher war. Carlos sprach ziemlich gut Deutsch, aber noch viel besser als Deutsch sprach er Spanisch, einfach weil es seine echte Sprache war. Als er mir sagte, daß er Spanisch konnte, und mir zwei spanische Sätze aufsagte, dachte ich an Hemingway und Robert Jordan und war sofort ergriffen. Carlos kam aus einer Stadt, die La Paz hieß. La Paz liegt in Lateinamerika. La Paz ist die Hauptstadt von Bolivien. Carlos zeigte mir später Fotos von La Paz und von Bolivien. Mir wäre es vielleicht lieber gewesen, Carlos, wo er schon Spanisch sprach, wäre direkt aus Spanien gekommen. Aber erstens ist die Chance, daß hierzulande, in einer Disco in der Greifswalder, ein echter Spanier auftritt, ungeheuer mäßig, und zweitens wollte ich nicht undankbar sein. Ein Typ aus der Nähe von La Paz war immerhin eine Menge. Auf den Fotos von Carlos hatte Bolivien weiße Häuser, Pferde und Kakteen. Ich fand Kakteen immer ziemlich öde. Ich stand damals noch ungeheuer auf Spanien, wo es bekanntlich keine Kakteen gibt.

Carlos erzählte mir, daß seine Greise schwerreich wären und in der Nähe von La Paz unheimlich viel Land hätten mit unheimlichen Kuhherden. Carlos war nach Europa gekommen, um zu studieren. Carlos war radikal links. Er war das nicht von Anfang an gewesen. Er war links geworden in Paris und in München. Schließlich war er zu uns gekommen, um weiter zu studieren und radikal links zu sein. Eine ganze Zeitlang hatten ihm seine Greise eine Menge Geld geschickt nach Europa, aber als sie erfuhren, daß Carlos bei uns studierte, stellten sie die Zahlungen ein. Sie warteten darauf, daß Carlos weich wurde und zurückkam nach La Paz.

Carlos hauste in einem Laden in der Fredersdorfer Straße. Er hauste dort zusammen mit einem Typ, der Andy hieß. Andy hatte vier Semester Starkstromtechnik studiert, aber inzwischen lebte er von überhaupt nichts, höchstens daß er manchmal Komparse bei der Defa war. Außerdem gab es noch einen ziemlich verrückten Maler, dessen Bilder kein Mensch kaufen wollte, nicht mal die Ärzte und Rechtsanwälte aus Niederschönhausen.

Der Laden war früher ein Schusterladen gewesen. Der Name des Schusters stand noch über dem Laden und auch die Tatsache, daß er Schuster war. Das Schild mit den Buchstaben war unheimlich verwittert. Der Laden war baufällig, und das ganze Haus, in dem sich der Laden befand, war baufällig. Das Haus sollte irgendwann abgerissen werden, und dafür sollte ein neuer Kasten hingesetzt werden, vermutlich mindestens acht Stockwerke und gelbe Kacheln, wie der Kasten, in dem meine Greise hausten. Aber wie die Dinge bei uns stehen, konnten darüber noch Jahre vergehen, und das Haus wurde noch benutzt, auch der Schusterladen.

Er hatte drei Räume. Es gab keine Türen dazwischen. Anstelle der Türen gab es Vorhänge aus Sackstoff. An der einzigen Tür, die wirklich eine Tür war und die nach außen ging, hing ein Riesenposter von Che Guevara. Der Poster stammte von Carlos, der vollkommen auf Che stand und außerdem auf einem Priester, der Camillo Torres hieß, und wenn man bedenkt, wo er herkam und was er augenblicklich dachte, war die Tatsache, daß er auf Che und Torres stand, vollkommen okeh.

Was mich anbetrifft, so hing ich oft ganze Nachmittage und Abende in dem Laden herum. Die Jungs lasen und hörten Radio und tranken Bier. Sie waren fabelhaft arm. Die Art, wie sie lebten, war auf eine ganz umwerfende Weise *cool*.

Die Greise hatten die Angewohnheit, im Sommer in ihrer Datsche zu übernachten, an den Wochenenden. Manchmal schaffte ich es, daß ich nicht mit ihnen fahren mußte. Ich ging dann in den Schusterladen. Ich hatte bis dahin überhaupt keine Erfahrung mit Sex. Ich wußte, was Sex war, und der Gedanke an Sex hatte mich manchmal beschäftigt, schließlich war ich siebzehn. Ich könnte nicht sagen, daß Sex die Welt ist, aber ich räume ein, daß er einfach dazu gehört. Carlos schlief leise und flach wie ein Tier.

Vielleicht ist das der Schlaf, wie ihn Leute in der Umgebung von La Paz haben. Carlos roch außerdem ziemlich stark nach den schwarzen Zigaretten, die er immer rauchte. Ich bin in jeder Hinsicht empfindlich gegen Gerüche. Der Geruch war beinahe das Beste an Carlos, und ich mochte ihn sehr.

Ich kannte Carlos ungefähr vier Monate, und ich ging, wie gesagt, ziemlich regelmäßig in den Laden. Es war Mitte November, als ich eines Nachmittags in den Laden kam, und ich fand dort bloß Andy und den Maler. Sie wirkten beide unheimlich betreten. Sie sagten mir, Carlos hätte an diesem Morgen seinen Kram gepackt und wäre damit verschwunden. Ich fragte die beiden, ob sie Zoff gehabt hätten. Sie beteuerten mir, davon könne überhaupt keine Rede sein. Ich glaubte ihnen nicht. Ich war hundertprozentig sicher, daß sich Carlos und Andy gestritten hatten wegen irgendwas. Ich schrie die beiden an, sie wären nichts als miese Penner, während Carlos immerhin ein Ideal gehabt hätte, mit Che und Torres und so. Ich war derartig aufgebracht, daß ich damals am liebsten über die Mauer gehechtet wäre, um Carlos zu suchen, in München oder Paris oder La Paz, und ich hätte ihn todsicher gefunden.

Nach vier Monaten, Mitte März, kriegte ich einen Brief von Carlos. Der Brief kam aus La Paz. Der Brief war spanisch geschrieben, was ich erst mal als ziemliche Unverschämtheit empfand, weil Carlos wissen mußte, daß ich auf meiner Penne eine ganze Menge guter Dinge lernte, bloß nicht Spanisch. Ich hätte mir den Brief übersetzen lassen können. Es gibt Büros, die einem so was machen, gegen Geld. Ich bin nie dorthin gegangen. Ich habe den Brief zerrissen und die Schnitzel in einem Aschenbecher verbrannt, der dem Greis gehörte. Der Greis ist Pfeifenraucher. Bloß die Briefmarken habe ich gerettet und meinem damaligen Banknachbarn in der Penne geschenkt. Mein Banknachbar war scharf auf so was.

Der Briefumschlag hatte außer einem weißen Blatt Papier mit zirka zweihundert Worten Spanisch noch ein Foto enthalten. Ich erkannte auf dem Foto Carlos. Er hatte sich die Haare scheren lassen, dafür trug er einen Vollbart, und als Brille trug er einen ungeheuren Apparat mit dunklen Gläsern. Dagegen war möglicherweise noch nichts einzuwenden. Vielleicht sind in Bolivien dunkle Gläser notwendig wegen der Sonne. Carlos saß mit dunklen Gläsern, Vollbart und kurzen Haaren auf einem Pferd, und hinter dem Pferd waren ungeheure Kuhherden, und hinter den Kuhherden waren weiße Häuser, und alles zusammen gehörte todsicher den Greisen von Carlos. Ich hätte unter Umständen auch das noch ertragen, aber Carlos lachte. Es war unverkennbar, daß er lachte, denn seine Lachzähne waren auf der Fotografie ganz vorn, und die Fotografie war vollkommen scharf. Ich zerriß sie und verbrannte die Schnitzel, zusammen mit den Schnitzeln des spanischen Briefes, in dem Aschenbecher meines Greises, der Pfeifenraucher ist.

Ich ging anschließend sofort in die Fredersdorfer Straße. Der Schusterladen war leer, und es war ihm anzusehen, daß er das schon eine ganze Weile war. Das ganze Haus, in dem sich der Schusterladen befand, war leer. Ein riesiger Kran mit einer riesigen Eisenkugel an einem Stahlseil wurde aufgefahren, und es war deutlich, daß damit die Mauern des leeren Hauses eingerissen werden sollten. Es liefen ein paar Leute hin und her und waren damit beschäftigt, eine Straßensperre aufzubauen.

Ich brauche nicht ausdrücklich zu erwähnen, daß die ganze Sache ein unheimlicher Kneks für mich war.

Es kam die Zeit, wo wir in der Penne ungeheuer auf Endspurt machten, das heißt, die Pauker machten und die anderen machten, ich war immer noch Spitze. Ich wartete, daß ich doch noch auf die E-O-Es kam. Ich sah mich lässig an Regine Stuff vorbeigehen, die bestimmt inzwischen in die Wolken gewachsen war und dort oben schlecht aus dem Mund roch. Ich freute mich auf ihre dämliche Visage. Ich freute mich auf E-O-Es und ungeheures Arbeiten. Der Greis hatte mir immer gesagt, ich hätte prima Aussichten. Der Greis hatte das gesagt, weil er es von anderen wußte, die davon was verstanden.

Die Wochen gingen rasant auf Abschluß zu, aber von E-O-Es war keine Rede. Ich stellte mich vor den Greis und machte ihm Andeutungen. Der Greis ging zu irgendwelchen Leuten und sagte hinterher, die Sache wäre noch in der Entscheidung.

Es war inzwischen Frühsommer. Der Frühsommer war ungeheuer warm. Ich hatte noch genau neun Tage Penne, und noch immer war nichts zu hören wegen E-O-Es. Ich stellte mich wieder vor der Greis. Er wirkte irgendwie gereizt und sagte, er würde sich erkundigen.

Ich hatte schließlich noch genau fünf Tage Penne. Es war Abend. Ich saß in meinem Zimmer und pumpte mich mit Energie auf. Dann ging ich hinüber in das Zimmer, wo der Greis saß.

Der Greis war nicht allein. Der Greis saß an einem Tisch mit Herrn Tabernier und kungelte Münzen. Herr Tabernier war Agronom bei einer El-Pe-Ge im Bezirk Potsdam und sammelte Münzen wie der Greis. Manchmal fuhr der Greis zu Herrn Tabernier, der eine gute Sammlung Deutsches Kaiserreich nach achtzehnhunderteinundsiebzig hatte, und manchmal war Herr Tabernier bei uns. Ich kannte also Herrn Tabernier, aber ich hatte keine Ahnung, daß Herr Tabernier und der Greis an diesem Abend kungelten. Ich sagte Herrn Tabernier guten Abend. Ich war so voll hochprozentiger Energie, daß ich keine Sekunde darüber nachdachte, ob mein Auftritt vielleicht passend wäre. Ich fand höchstens, daß bei der Hochform, in der ich mich fühlte, ein Zeuge gerade den richtigen Rahmen abgab.

Ich stellte mich also auf und sagte: Greis, ich muß mit dir reden.

Der Greis drehte eine hessische Fünf-Mark-Silber von achtzehnhundertfünfundneunzig zwischen den Fingern, sah bloß halb auf und sagte: Später.

Ich sagte: Nichts später, ich will jetzt mit dir reden. Der Greis machte erst mal um die Fünf-Mark-Silber eine Faust. Er blickte nervös auf Herrn Tabernier, der aber ungeheuer mit einer oldenburgischen Zwei-Mark-Silber von achtzehnhunderteinundneunzig beschäftigt war. Der Greis murmelte schließlich: Gittiekind, was willst du.

Ich sagte: Was ist mit E-O-Es?

Der Greis schluckte. Er legte die hessische Fünf-Mark-Silber auf den Tisch. Er sagte: Muß das jetzt sein?

Jetzt schluckte ich. Der Greis blickte wieder auf Herrn Tabernier, der, eine Lupe in der Hand, sich einem goldenen Zwanzig-Mark-Stück näherte, Mecklenburg-Strelitz von neunzehnhundertfünf, mit Stempelglanz, mit Herzog Adolf Friedrich auf der Vorderseite; das Ding gehörte dem Greis, der unheimlich stolz darauf war, denn es war teuer. Ich schluckte noch mal und sagte einigermaßen lässig: Greis, was wird jetzt mit mir?

Der Greis sagte: Nachher, Kind.

Ich sagte: Nichts nachher.

Er sagte: Wir haben uns ausführlich Gedanken gemacht, Mutter und ich. Nimm doch jetzt bitte Rücksicht. Wir haben schließlich Besuch.

Herr Tabernier hatte sich inzwischen an Stempelglanz und Adolf Friedrich von Mecklenburg satt gesehen. Sonst lag bloß noch eine sächsische Zwei-Mark-Silber von achtzehnhundertachtundachtzig vor ihm, die aber ziemlich abgegriffen war und die auch sonst nicht besonders viel wert ist. Herr Tabernier nahm sie trotzdem in die Hand. Auf der Vorderseite war die Seitenansicht von König Albert, mit Bart.

Ich sagte: Ihr habt euch also was ausgedacht. Für mich. Sicher ist das alles prima. Habt ihr euch auch gefragt, ob mir das schmeckt?

Gittie, sagte der Greis, und diesmal klang es gereizt.

Ich will nicht mehr, sagte ich. Ich habe mich vier Jahre geschunden, aus Langeweile, aus Ehrgeiz, egal, jedenfalls habe ich mich geschunden. Niemand hat mich gefragt, was mir das ausmacht. Niemand scheint sich zu interessieren, wie ich mich fühle. Ich will nicht mehr.

Brigitte, sagte der Greis, und jetzt war in seiner Stimme eindeutig Drohung.

Auf diesen Ton hin verlor ich die Nerven. Ich schrie herum. Ich tobte. Ich weiß nicht mehr genau, was ich geschrien habe, aber jedenfalls war es eine ganze Menge und betraf die Greise und die allgemeinen Umstände und war in der Ausdrucksweise nicht fein. Der Greis federte schließlich aus seinem Sessel und schlug mir ins Gesicht. Danach setzte er sich wieder an den Tisch, wo es verschieden wertvolle Markstücke, einen Münzkatalog und einen umständlich hustenden Herrn Tabernier gab. Ich ließ die Tür ins Schloß schmettern. Ich ging in mein Zimmer.

Ich holte meine blaßrosa Levi's aus dem Schrank. Ich holte meine hellgelben Clarks aus dem Schrank, die waren damals noch so gut wie neu. Ich packte in meine Tasche: bißchen Wäsche, Zahnbürste, Handtuch, die Levi's, die Clarks, Geld, und obenauf legte ich den zerlesenen Hemingway. Ich hatte mich inzwischen immerhin so weit beruhigt, daß ich ein, zwei Minuten über mein Gespräch mit dem Greis nachdenken konnte. Ich ahnte, daß ihm die ganze Angelegenheit möglicherweise ziemlich peinlich war. Er hatte die Sache vor sich hergeschoben. Er hatte nicht gewußt, wie er sie mir beibringen sollte. Das war aus seiner Sicht verständlich, aber mir half das überhaupt nicht weiter, und um mich ging es schließlich. Der Greis war nicht schlecht. Irgendwie packte er bloß einen Haufen Dinge vollkommen verkehrt an. Ich sah nicht ein, wieso ausgerechnet ich das Opfer sein mußte, und daß ich es war, machte mich gleich wieder ungeheuer wütend. Ich schloß die Tasche. Ich ging auf den Korridor. Die Greisin hatte offenbar Lunte gerochen und kam mit nassen Haaren aus dem Bad. Sie wusch sich die Haare, weil sie demnächst wieder reisen wollte und Vorträge halten, was ich wußte. Die Greisin erfaßte die Situation sofort. Sie wollte wissen, was ich vorhätte. Ich empfahl ihr, den Greis zu fragen, wenn das Kungeln mit Herrn Tabernier vorbei wäre. Die Greisin ließ Wasser aus den Locken. Sie war total gelähmt. Ich ließ die Wohnungstür ins Schloß schmettern, und die Tür machte kneks.

Abends nach elf kriegt das Hauptgebäude des Bahnhofs Friedrichstraße eindeutig das Aussehen von Geisterbahn. Das hat zunächst mal mit dem Licht zu tun. Die meisten Lampen auf dem Bahnhof Friedrichstraße brennen Neon, und bei Neon sehen alle Leute aus wie Leichen.

Es war, als ich mich in die Halle stellte, haargenau siebzehn Minuten nach elf. Ich hatte absolut keine Ahnung, was ich tun sollte, und so stellte ich erst mal meine Tasche neben mich und sah mir Leute an. Von denen gab es einen ganzen Pulk, und er hatte offenbar Theater hinter sich. Vermutlich Deutsches oder Be-E oder Staatsoper. Meinetwegen Metropol oder Felsenstein. Die Leute sahen im Gesicht enorm beeindruckt aus. Kunst ist bekanntlich, was mit Seele und Wirkung zu tun hat. Nach einer Weile kamen Leute von der Spätschicht. Ich vermute, Setzer aus der Nuschkestraße oder Redakteure vom En-De, Glinkastraße. Diese Leute hatten es enorm eilig. Sie hetzten mit hängender Zunge über die Treppe zum Bahnsteig. Anfangs lief in der Halle auch Vau-Pe herum, zwei Typen auf Streife. Die Frauen hinter den Fahrkartenschaltern häkelten Strickstrumpf und gähnten. Dann gab es noch ein paar Rentner, die kamen garantiert aus Wilmersdorf zurück oder Freiburg im Breisgau oder Wanne-Eickel. Sie hatten Koffer in der Hand und Plastetaschen mit der Aufschrift Karstadt oder Bilka und Bananen drin. Abends nach elf sind alle Rentner müde.

Ich trat von einem Bein aufs andere. In der Halle roch es nach dem Pissoir im Keller und nach ganz miesen Zigaretten. Ich betrachtete interessiert zwei junge Typen mit langen Haaren und Pickeln im Gesicht. Die Typen hatten Klamotten an, bunt wie die Kakadus bei Dathe im Tierpark, was zusammen mit dem Neon, fand ich, ganz hervorragende Leichen ergab. Eine hatte einen Recorder im Arm und dudelte darauf den vorletzten Quark von Gilbert O'Sullivan und Shirley Bessey, die ich für eine fürchterliche Ziege halte.

Es gab dann noch ein paar Typen aus Griechenland oder Ankara oder Sizilien. Die meisten standen Schlange vor dem Kiosk neben dem Wartesaal. Die Türen zum Wartesaal waren geschlossen. In dem Kiosk wurden Kekse und Adlershofer Wodka verkauft.

Ich stand herum, als sich ein Typ näherte und von mir wissen wollte, ob es in dem Kiosk vielleicht Papierwaren gibt. Ich empfahl ihm, davon solle er sich gefälligst selber überzeugen, und er solle sich, wenn er ein Mädchen anquatsche, in Zukunft was Intelligenteres ausdenken. Der Typ grinste daraufhin ganz fabelhaft, und so kamen wir ins Gespräch. Der Typ trug keine besonders langen Haare. Er trug erstklassige Bluejeans. Ich erfuhr, daß er ernsthaft nach Papier suchte, weil er es brauchte und weil er sich für so was wie einen Maler hielt. Er musterte zwischendurch mein Gepäck und sagte, er wohne seit zwei Wochen in einer leeren Laube in Lichtenberg, und wenn ich eine Bleibe suchte, könne er mir mit einem prima wurmstichigen Plüschsofa dienen. Er sagte dann noch, er heiße Ed. Hier muß ich einfügen, daß mich bestimmte einsilbige Abkürzungen von Namen, zum Beispiel Ed, immer leicht nervös machen. Trotzdem dachte ich drei, vier Minuten ernsthaft über das Angebot nach. Es war inzwischen eine halbe Stunde vor Mitternacht, und irgendwo mußte ich bleiben. Daß ich am Ende doch nicht mit ihm kam, lag aber keineswegs an seinem affigen Namen.

Der Typ erwähnte, er käme gerade aus einem Beat-Konzert, und er fing an, ganz ungeheuer davon zu schwärmen. Ich habe nichts gegen Beat, aber der Typ redete von Beat, als redete er von Sex. Ich habe auch nichts gegen Sex. Ich habe was dagegen, aus Beat oder meinetwegen Sex eine Religion zu machen. Ich versuchte das dem Jungen klarzumachen. Er reagierte völlig irre. Er war total besessen von Beat. Leute, die auf diese Art besessen sind, kriegen entweder den Nobelpreis, oder sie begehen Selbstmord. Der Typ nannte mich zuletzt *tiffig*. Ich sagte ihm, er solle erst mal lernen, wie man richtig *cool* ist. Das schien ihn zu treffen, und er lief wütend davon.

Draußen ratterte ein Sprengwagen über die Friedrichstraße, und es roch jetzt ganz eindeutig nach verbrauchtem Wasser auf

Asphalt. Die Vau-Pe-Doppelstreife tauchte wieder auf und zeigte zwei entschlossene Gesichter. Ich begreife nicht, warum der Wartesaal auf dem hinreißendsten Bahnhof in ganz Berlin abends nach elf geschlossen ist, was ich für eine glatte Unverschämtheit halte. Ich wollte mich überzeugen, ob das auf dem Ostbahnhof genauso gehandhabt wurde, und nach zwanzig Minuten war ich dort.

Also, der Wartesaal war hier nicht geschlossen, und wenn die Schilder nicht logen, war er auch die ganze Nacht über geöffnet. Ich entschloß mich, in die Schilder mein volles Vertrauen zu setzen. Es gab daneben noch andere Schilder, auf denen stand, daß nach vierundzwanzig Uhr bloß Inhabern von Fernfahrkarten der Aufenthalt im Wartesaal gestattet sei. Ich wurde daraufhin innerlich völlig angespannt. Ich setzte mich an einen leeren Tisch und ließ mir einen Sprudel kommen. Mit meiner Tasche wirkte ich äußerlich überzeugend. Während der nächsten Viertelstunde hatte ich ausführlich Gelegenheit, Schlafhaltungen auf Wartesaalholzstühlen zu betrachten. Die Vielfalt war absolut beeindruckend, aber das wurde alles noch übertroffen durch die unheimlichen Gesichter der Kellner.

An den Tisch, wo ich saß, kam ein Mann. Er rülpste was, und dann setzte er sich mir gegenüber. An dem Mann war alles grau. Anzug und Haare und Hände und Augen und Gesicht. Der Mann kauerte auf seinem Stuhl und atmete. Seine Lippen waren grau, und seine Zähne waren es irgendwie auch. Der Mann brachte es fertig, daß ihm einer der Kellner ein großes Glas mit klarem Schnaps auf den Tisch stellte. Dann richtete er unendlich langsam seinen Blick auf mich und teilte mir mit, er wäre unglücklich.

Ich habe überhaupt keine Erfahrungen, wie man mit Betrunkenen umgeht. Ich weiß, daß Betrunkene unberechenbar sind. Damals hatte ich irgendwie den Eindruck, es wäre ungeheuer riskant, wenn ich dem grauen Mann zeigte, wie ungeheuer egal er mir wäre. Ich sagte ihm also: ja, man sehe ihm deutlich an, daß er unglücklich sei. Der Mann war mir für meine Bemerkung spontan dankbar. Er trank von seinem Schnaps, und danach erzählte er mir eine vollkommen irre Geschichte. Er erzählte erst mal, daß er eigentlich kein Säufer wäre, und in dieser Nacht söffe er nur, weil er unglücklich sei. Dann erzählte er, daß er im Glühlampenwerk arbeite, und dort arbeite er gerne, und überhaupt wäre Arbeit eine großartige Sache. Ich bestärkte ihn in seiner Meinung.

Der Mann erzählte daraufhin, Arbeit betreffe ihn so sehr, daß er einen Verbesserungsvorschlag gemacht hätte, und der Verbesserungsvorschlag sei angenommen worden, und dafür habe er, der Mann, eine Prämie gekriegt. Der Mann sagte, das sei ein echter Triumph. Ich glaubte ihm das. Der Mann sagte, die Prämie hätte er vor sechs Stunden gekriegt. Ich unterdrückte die Frage, wieso er dann unglücklich sei. Der Mann schien die Frage zu ahnen, denn er sagte, genau an diesem Abend sei ihm seine Frau davongelaufen.

Ich wollte den Mann ablenken und fragte ihn, worin sein Verbesserungsvorschlag eigentlich bestünde. Der Mann fing an, mir zu erklären, wie man fertige Glühlampen am Fließband prüfe, ob sie was taugten oder nicht. Es würde dann, sagte der Mann, mit einem Holzstab gegen die Glühbirnen geklopft, und der Klang sage alles. Der Mann zog einen Bleistift aus der Tasche und schlug damit gegen sein leeres Schnapsglas. Der Klang gefiel ihm offenbar so gut, daß er immer weiter gegen das Schnapsglas schlug.

Ich kann nicht sagen, wie lange er das tat, aber es war so, daß ein paar von den Leuten in der Nähe daraufhin aufwachten und zu seufzen und zu gähnen anfingen. Der Mann hatte die weitere Erklärung seines Verbesserungsvorschlags völlig vergessen, und eigentlich war ich an dieser Erklärung auch nicht besonders interessiert. Der Mann klingelte mindestens eine Viertelstunde, dann sagte er noch, seine Frau heiße Karla, er legte seinen Kopf auf die Tischplatte und war weg.

Dabei fiel ihm die Brieftasche aus seiner grauen Anzugjacke und klatschte auf den Boden. Ich hob sie erst mal auf, und es rutschten mir zwei Dinge entgegen. Das erste war ein nagelneuer Fünfzigmarkschein. Das zweite war ein Ausweis des Glühlampenwerkes *Narva*, mit Lichtbild. Auf dem Lichtbild war der graue Mann zu sehen. Er wirkte auf dem Lichtbild hervorragend grau, was aber mit der Eigenart von Lichtbildern zu tun hat. Auf dem Ausweis war noch zu lesen, daß der graue Mann Bellmann hieß, einundvierzig war und in der Ackerstraße wohnte.

In diesem Augenblick kam in den Wartesaal eine Doppelstreife Bahnhofspolizei. Ich hielt das für den richtigen Moment, dem Kellner zu winken. Ich ließ mir die Rechnung von Herrn Bellmann sagen und zahlte mit dem Fünfzigmarkschein. Dann packte ich Herrn Bellmann am Arm. Herr Bellmann war ganz leicht und stand augenblicklich auf. Ich ging mit Herrn Bellmann am Arm durch den Wartesaal mit seinen Schläfern, seinen Kellnern und seiner Doppelstreife Bahnhofspolizei.

Ich ging mit Herrn Bellmann zur Taxihaltestelle auf dem Bahnhofsvorplatz. Dort standen keine Wagen, aber es standen zirka fünfzehn Leute mit Koffern, immer einer neben dem anderen. Ich baute Herrn Bellmann neben ihnen auf, und Herr Bellmann war durch die Nachtluft wieder einigermaßen lebendig geworden. Er wackelte ein bißchen und brabbelte vor sich hin, und wenn ich genau zuhörte, konnte ich feststellen, daß Herr Bellmann darüber Betrachtungen anstellte, ob es zwischen seinem Verbesserungsvorschlag, der Prämie von *Narva* und dem Verschwinden von Karla einen inneren Zusammenhang gab. Er behauptete, es müsse diesen Zusammenhang geben, sonst wäre das alles doch nicht am gleichen Tag passiert, und ich ließ ihn dabei. Über dem Bahnhofsvorplatz war ein prima Sommersternennachthimmel.

Die Ackerstraße liegt hinter dem Oranienburger Tor, zwischen Wilhelm-Pieck-Straße, Anklamer Straße und Grenze. Die Häuser in der Ackerstraße riechen ganz unbeschreiblich alt und verbraucht und nach Bier. Sie haben himmlische Treppenhäuser. Sie haben Ausgüsse auf dem Flur. Sie haben Fenster, die nicht viel größer sind als die Löcher in normalen Taubenschlägen. Wer in der Ackerstraße groß wird, läßt sich nie im Leben die Butter vom Brot klauen. Herr Bellmann war bestimmt nicht in der Ackerstraße groß geworden, sondern wohnte bloß da. Die Ackerstraße ist eine Art schmuddelige und unterernährte Schwester der Schönhauser Allee, und deshalb lasse ich, Gittie Marczinkowski, auf die Ackerstraße nichts kommen.

Es dauerte, nachdem uns ein Taxi ausgeladen hatte, noch ungefähr zwanzig Minuten, bis ich mit Herrn Bellmann unter dem Dach angekommen war, wo Herr Bellmann wohnte. Ich zog Herrn Bellmann die Schlüssel aus der Tasche und schloß die Wohnung auf. Gleich hinter der Schwelle rutschte Herr Bellmann endgültig zusammen. Ich schleifte ihn in das nächste Zimmer, das sich zum Glück als Schlafzimmer erwies. Ich packte Herrn Bellmann aufs Bett und legte ihm eine En-Be-I unter die Schuhe. Das war alles, was ich für ihn tun konnte.

Die Wohnung war ungeheuer penibel. In der Küche fand ich einen Kühlschrank, eine Hobelbank und einen Schraubstock. Ich konnte erkennen, daß Herr Bellmann offenbar ein Bastelgenie war und zwei Drittel aller Möbel in seiner Wohnung selber gemacht hatte, denn es handelte sich um Möbel, die es nirgendwo zu kaufen gibt. Ich versuchte mir vorzustellen, daß ein Mann, der fortwährend bastelt, möglicherweise sehr quälend im Zusammenleben ist. Ich fand im Flur, an die Wand gepinnt, eine Fotografie, darauf waren Herr Bellmann, fast gar nicht grau, und eine ziemlich junge Blondine, die irgendwie hungrig aussah. Ich entschied, daß es sich bei der Blondine um Karla handeln müsse.

Ich setzte mich auf einen Küchenstuhl, der hellgrün gestrichen war und offenbar von Herrn Bellmann gemacht. Ich starrte die Hobelbank an. Auf einem Wecker, der in der Küche stand und tickte, war es drei Viertel drei. Ich konnte Herrn Bellmann in seinem Schlafzimmer zweimal stöhnen hören und Karla sagen. Ich fand, daß sich die Menschen ganz allgemein enorm viel Schwierigkeiten machen, und ich vermied es, dabei an die Greise zu denken. Der Wecker in der Küche war von Ruhla und hatte ein türkisfarbenes Gehäuse.

Gegen Viertel vier erschien in Herrn Bellmanns Küche der Kneksgott. Er setzte sich auf den anderen hellgrünen Stuhl und kaute erst mal Mistkäfer, bis mir so richtig schlecht wurde. Dann rülpste er und wollte mir beibringen, ich wäre eine Idiotin und das ganze Leben wäre sowieso ein irrer Krampf. Ich hatte erst mal zu tun, um meinen Magen zu beruhigen, und dann bedeutete ich dem Kneksgott, er solle sich auf seinen gottverdammten Mont Klamott zurückscheren. Ich schlief bis halb sechs in einer Haltung, mit der ich im Wartesaal des Ostbahnhofs eine hervorragende Figur gemacht hätte, aber dort wäre ich ohne Fernfahrkarte gewesen, und ich hätte auch gar nicht sagen können, wohin eine lösen.

Ich fand, als ich wieder aufgewacht war, eine trockene Schrippe und gab mir Mühe, daß ich sie herunter bekam. Um mich erkenntlich zu zeigen, schmierte ich Herrn Bellmann zwei Stullen, eine mit Schweineschmalz, eine mit Leberwurst, beides aus dem Kühlschrank, und alles, damit Herr Bellmann was zu kauen hatte bei *Narva*. Ich stellte die Weckerklingel auf sechs, weil da die meisten Leute aufstehen. Ich tat einen Porzellanteller unter den Wecker und setzte meine Konstruktion auf den Nachttisch von Herrn Bellmann. Herr Bellmann schnarchte ungeheuer. Ich schob ihm zuletzt die zerknitterte En-Be-I wieder unter die Schuhe. Ehe ich die Wohnung verließ, streckte ich Frau Bellmann auf dem Foto die Zunge raus. Der Tag war ein Mittwoch.

Ich latschte mit meiner Tasche die Ackerstraße hinunter bis zur Wilhelm-Pieck-Straße. Dort stieg ich in die Straßenbahn und fuhr bis zum Leninplatz. Ich ging die Lichtenberger Straße hinunter und stieg am Strausberger Platz in die U-Bahn. Ich kam Leipziger Straße wieder über die Erde und beschloß, daß ich mir einen anständigen und sonnigen Berliner Mittwochmorgen antun sollte. Ich schleppte meine Tasche die Grotewohlstraße hinunter und sah mir den Drahtzaun an und dahinter den Tiergarten. Mir kamen ein Sprengwagen entgegen und zirka zwanzig, dreißig schwarze Dienstautos aus den Ministerien. Es war ein unheimlich schöner Morgen. Ich ging bis zum Pariser Platz. Vor dem Brandenburger Tor stauten sich rudelweise irgendwelche Typen und hielten sich Fotoapparate vor die Visagen. Unter den Linden las ich ein kleines Mädchen vom Pflaster auf, das sich die Knie aufgeschlagen hatte und mörderlich schrie. Es ist zu bemerken, daß ich an diesem Morgen unheimlich barmherzig war.

Ich ging weiter Richtung Charité und schickte meinen Blick ganz lässig auf Beton, Draht und Reichstag. Ich hörte irgendwelche Spatzen piepen. Es war wirklich ein phantastischer Morgen. Der Reichstag sah aus wie eine gigantische Schokoladentorte. Ich muß dazu erwähnen, daß mir bei zuviel Kuchen regelmäßig schlecht wird. Ich ging die Marienstraße hinein, und dann ging ich auf der Albrechtstraße bis zur Spree. Ich setzte meine Tasche ab. Ich lehnte mich an das Gitter. Ich sah mir die Rettungsringe an. Unten kam ein Lastkahn vorbei. Auf dem Lastkahn stand ein Kerl mit nacktem Oberkörper und trank ungeheuer lässig irgendein Gesöff aus irgendeiner Blechtasse. Vorübergehend hatte ich Lust, über das Gitter zu klettern und auf den Lastkahn zu springen. Dann sah ich, daß der Lastkahn *Hamburg* hieß und vermutlich auch aus Hamburg kam. Das runde Be-E-Zeichen drehte sich um sich selber. Wenn einer genügend lange dort hinsieht, kann er Gleichmut lernen.

Am Mittag war ich auf dem Alexanderplatz. Ich drängelte mich in das Selbstbedienungsrestaurant. Meine Tasche war mir enorm im Wege. Ich kaufte mir einen Hackepeter, einen Heringssalat und ein Glas Apfelsaft. Die Mischung war ziemlich gewagt, und ich drückte sie entschieden zu hastig in mich hinein. Hinterher war mir für ungefähr fünfzehn, zwanzig Minuten ungeheuer flau in der Körpermitte. Ich schleppte mich auf den Alexanderplatz und suchte mir auf der großen Bank einen Sitz, wo Schatten war.

Ich saß keine zwei Minuten, als ein Kerl auf mich zusteuerte, der einen unwahrscheinlichen Vollbart hatte, und zwar war der Vollbart blond. Der Kerl quatschte mich sofort an. Der Kerl schwitzte enorm, weil er entschieden zu fett war. Der Kerl trug ein Hemd mit Streifen in fünf verschiedenen Farben. Der Kerl hatte eine dunkelblaue Tasche von *Scandinavian Airlines*, und tatsächlich war der Kerl Schwede. Er sagte es mir mit seinem zweiten Satz. Der Kerl hatte einen ungeheuren Goldzahn im Vordergebiß, den er immer blitzen ließ, wenn er redete, und er redete beinahe ununterbrochen. Ich erfuhr auf diese Weise, daß er Sven Olof Gustafsson hieß und aus Malmö stammte. Der Kerl sagte, er hätte unheimlichen *trouble* gehabt, sagte er, mit unserem Zoll, denn der hätte ihm fünfzig prima skandinavische Pornohefte fortgenommen, die er, der Kerl, mitgenommen hatte, um sie bei uns zu versilbern und davon seine Reise zu finanzieren. Der Kerl wollte bis nach Rumänien trampen, und jetzt wußte er nicht, wie er weiterkam. Der Kerl krempelte die Ärmel von seinem Streifenhemd hoch und zeigte mir an seinem Oberarm verschiedene Narben. Er sagte, die stammten von der schwedischen Polizei, miesen Bullen, bei einer Vietnam-Demonstration vor der amerikanischen Botschaft in Stockholm. Anschließend erzählte er, seine Mama in Malmö habe drei Brotfabriken, aber er pisse, sagte der Kerl, auf die Mama und ihren Reichtum, und für ihn sei Buddha das Höchste. Ich konnte keine

Logik in dieser Feststellung erkennen, aber ich unterbrach ihn nicht. Er fing an, sich über die elementaren Gegensätze von *Yin* und *Yang* auszulassen.

Ich hatte keine Ahnung, was das war. Ich sagte es, und der Kerl lachte erst mal höhnisch, dann legte er mir dar, daß *Yin* und *Yang* zwei enorm wichtige Dinge seien, mit deren Hilfe sich die gesamte Welt im Gleichgewicht halte und zwischen denen sich das gesamte Leben ausbalanciere. Oder so. Ich war wie vor den Kopf geschlagen. Der Kerl teilte mir mit, daß er makrobiotisch lebe, was mit *Yin* und *Yang* zu tun hatte, und daß ungeschälter Reis, außer Buddha, für ihn das Höchste sei.

In mir hatten inzwischen *Yin* und *Yang* oder gar nichts, Heringssalat und Hackepeter ihren Frieden geschlossen. Zuletzt breitete der Kerl die Arme aus, zeigte Schwitzflecken unter der Achsel und sagte: Ach Mama Gustafsson, du hast drei Brotfabriken, und dein Sohn Sven Olof sitzt im Kommunismus und kann nicht mehr! Ich fand endgültig, der Kerl habe eine Meise. Ich nahm meine Tasche und entkam Richtung Rathausstraße.

Ich strudelte zwischen lauter Polen herum, die auf die Läden in der Rathauspassage wild waren. Sie gaben Oma-Hela-Laute von sich, und ich genoß das sehr. Ich ging an dem Begasbrunnen vorbei. Es trieben sich eine Menge Kinder an seinem Rand herum, aber ich persönlich finde diesen Brunnen echt scheußlich. An der Breiten Straße hatte ich die Idee, in die Stadtbibliothek zu gehen. Der erste Grund dafür war, daß ich sie noch nicht kannte, und der zweite war, daß mich meine Knochen schmerzten. Außerdem sind Stadtbibliotheken so was wie konzentrierte Weisheit, und eine Begegnung damit kann niemals schaden.

Ich ließ meine Tasche in der Garderobe und hatte erst mal enorme Schwierigkeiten zu überstehen. Fragebogen ausfüllen und Karteikarten wühlen und Leihscheine beschreiben und so. Weil ich gerade etwas über *Yin* und *Yang* gehört hatte und darüber rein gar nichts wußte, bestellte ich mir eine Schwarte über die allgemeinen Grundlagen der Welt und ihre Entstehung. Ich setzte mich damit in den Lesesaal. Der Lesesaal war phantastisch ruhig und großzügig. Die ganze Bibliothek war phantastisch gut geordnet. Für den vollkommen unwahrscheinlichen Fall, daß ich gezwungen wäre, den Rest meiner Jugend und mein gesamtes Erwachsenenleben und Alter in einer Bibliothek zu verbringen, würde ich mir die Berliner Stadtbibliothek in der Breiten Straße aussuchen. Was möglicherweise eine einseitige Entscheidung wäre, weil ich andere Bibliotheken überhaupt nicht kenne.

Ich fraß mich in einem ganz bestimmten Abschnitt der Schwarte fest, der mit Strahlungen zu tun hatte. Ich erfuhr, daß unsere Erde unter einem permanenten Beschuß von Höhenstrahlung liegt. Das meiste von dieser Höhenstrahlung wird dadurch ausgefiltert, daß die Erde eine Atmosphäre hat. Die Atmosphäre der Erde entsteht unter anderem dadurch, daß die Sonne die Ozeane erhitzt und Wasserdampf hochläßt. Die Sonne ist bekanntlich ungeheuer heiß, was durch Atomkernverschmelzung bewirkt wird, und dabei entsteht außer Wärme noch eine andere Strahlung, die Sonnenwind heißt. Der Sonnenwind könnte ziemlich schrecklich sein, aber er kommt nicht auf die Erde, weil die Erde ein Magnetfeld hat, was den Sonnenwind ablenkt. Außerdem enthält Sonnenwärme einen enormen Anteil an U-Vau-Strahlen, der meistens wieder durch die Atmosphäre ausgefiltert wird, und zwar durch den Sauerstoff. Den gibt es, weil die ersten Lebewesen auf der Erde Pflanzen waren, die bekanntlich Stickstoff aufnehmen und dafür Sauerstoff abgeben. Das Ganze heißt Photosynthese und wird wieder durch die Sonne bewirkt. Ohne alle diese Dinge gäbe es uns nicht, weil uns die Strahlen längst weggeputzt hätten, und die Erde wäre verdammt ungemütlich. Und so.

Ich begriff ungefähr, daß alles enorm kompliziert ist, was ich aber schon vorher geahnt hatte. Ich bin nicht sicher, daß ich alles richtig begriffen habe, weil es eben so enorm kompliziert ist. Ich blätterte das ganze Buch durch und fand von *Yin* und *Yang* keine Spur. Ich dachte über die Strahlen nach und fand, daß es eine Menge Dinge gab, von denen ich keine Ahnung hatte, aber die zu wissen auf jeden Fall lohnt. Ich kam dadurch automatisch auf E-O-Es und die Haltung der Greise, und das erfüllte mich mit so unglaublicher Wut, daß ich aufstand und mein Buch zurückgab und erst mal wieder an die frische Luft mußte.

15

Ich setzte mich ins Kino *Camera* und sah mir hintereinander zwei verschiedene Filme von John Ford an. Sie stammten beide aus den dreißiger Jahren und waren ziemlich doof. Hinterher ging ich die Chausseestraße hinauf. Ich zählte insgesamt zwei Taxen, und das waren die einzigen lebendigen Gegenstände, die ich sah. Ich bog rechts in die Invalidenstraße ab und ging am *Newa* vorbei, das ein einigermaßen vornehmer Schuppen ist, mit jeder Menge Handelsfritzen aus Arabien, Holland und Brasilien. Ihre ungeheuer glitzernden Schlitten standen auf dem Parkplatz. Der Anblick stieß mich enorm ab. Ich ging deswegen rasch bis zum Nordbahnhof, der eine bessere Ruine ist. Ich suchte mir hinter dem Nordbahnhof eine Bank neben einem ganz ordinären Ligusterbusch und setzte mich. Am Himmel waren gelegentlich Positionslichter von einem kreisenden Flugzeug, und es gab das entsprechende Gebrumm. Vor der Mauer war irgendwie Helligkeit. Ich hörte nicht mal einen Vogel piepen, was aber ganz natürlich ist, weil Vögel nachts schlafen und eine anständige Nachtigall sich jeden anderen Ort aussuchen würde als ausgerechnet den Nordbahnhof in Berlin.

Wenn ich jetzt sage, daß mir trübselig zumute war, so ist das eine ausgesprochene Beschönigung. Ich hätte am liebsten geheult. Ich hätte am liebsten gespien. Ich saß in meiner Heimatstadt Berlin in einer Gegend, in der sich nachts, sommers oder winters, kein vernünftiger Mensch freiwillig auf eine Parkbank setzen wird, und genau entsprechend waren meine Gefühle.

Gegen vier Uhr wurde es allmählich heller. Das hatte diesmal nichts mit den Lichtern an der Mauer zu tun, sondern mit dem Himmel, der sich auf Tag einrichtete, weil schließlich Sommer war. Ich zog meinen Hemingway aus meiner Tasche und begann darin zu lesen. Ich las das ungeheure Kapitel einunddreißig, wo Robert Jordan zum letztenmal mit seinem Mädchen in dem Schlafsack liegt und wo die beiden sich über Madrid und die Zukunft unterhalten und wo die ungeheuren Sätze stehen: *Aber letzte Nächte taugen nie etwas. Nichts Letztes taugt etwas.* Das ist sowieso die unbestreitbare Wahrheit, aber ich hatte das Gefühl, daß sie in diesem Augenblick für mich besonders wichtig war, obwohl ich noch nicht sagen konnte, wieso.

Während ich so nachdachte, kam ein Polizist. Er bewegte sich genau auf die Bank zu, wo ich saß. Der Polizist blinzelte und blickte zweimal hin, ehe er sicher war, daß auf der Bank jemand saß, nämlich ich.

Er baute sich vor mir auf und wollte wissen, was ich hier täte.

Ich sagte ihm wahrheitsgemäß, ich hätte acht Seiten Hemingway gelesen und dächte jetzt darüber nach. Ich vermute, daß dem Polizisten der Name Hemingway nichts sagte, oder aber er hielt meine Antwort für eine Art unverschämter Herausforderung. Er wollte wissen, ob ich keinen festen Wohnsitz hätte.

Ich sagte ihm, wiederum wahrheitsgemäß, das käme auf die Betrachtungsweise an.

Der Polizist, der übrigens nicht mehr jung war, sagte, und zwar sagte er das richtig besorgt, er wolle mein Personaldokument sehen.

Ich finde, Personaldokument ist ein unmögliches Wort. Aber ich wußte, was damit gemeint war, und ich kramte meinen Ausweis vor und überreichte ihn. Der Polizist blätterte darin, und dann sagte er mit warmer Stimme, ich sei ja seit viereinhalb Stunden achtzehn.

Mir fiel auf diese Weise ein, daß ich Geburtstag hatte. Ich habe nie viel von Geburtstagen gehalten. Sie sind ein Tag im Kalender, und alle Feiern, die deswegen gemacht werden, die ganzen Geschenke und so, wirken auf mich ausgesprochen idiotisch. Immerhin begriff ich jetzt, was mir Robert Jordan und Ernest Hemingway mit ihren ungeheuren Sätzen aus dem Kapitel einunddreißig hatten sagen wollen. Ich hatte gerade die letzte Nacht vor Einbruch meiner Volljährigkeit hinter mich gebracht, und da die Sätze bedeuteten, alle letzten Nächte taugten nichts, konnte ich dem jetzt nur aus vollem Herzen beipflichten.

Ich sagte dem Polizisten, ich sei ihm dankbar für seine Mitteilung, denn ohne ihn wäre mir die Tatsache, daß ich seit heute achtzehn sei, möglicherweise entgangen.

Der Polizist sah mich etwas zweifelnd an, aber da zuletzt in meiner Stimme ungewöhnlich viel Herzlichkeit war, schien er mir zu glauben.

Er sagte mir noch, es sei mehr als riskant, wenn ein junges Mädchen völlig allein in dieser Gegend und nachts auf einer Bank säße.

Ich sagte ihm, nach meiner persönlichen Erfahrung in den letzten Stunden könnte ich ihm da überhaupt nicht zustimmen.

Der Polizist atmete traurig-geräuschvoll und erzählte mir, was er allein in den letzten zwei Stunden mit dem Streifenwagen, in dem er saß, erlebt hatte. Er beschrieb mir zum Beispiel einen blutigen Motorradunfall in der Scharnhorststraße, bei dem es eine total zerbeulte Em-Zet und zwei Personen mit enormen Knochenbrüchen gegeben hatte. Der Polizist erzählte sehr plastisch, und ich hörte ihm gerne zu. Danach bot er mir an, daß er mich mit seinem Streifenwagen in die Mollstraße bringen wollte.

Für einen Augenblick dachte ich ernsthaft über diesen Vorschlag nach. Ich hatte noch nie in einem Streifenwagen gesessen. Die Aussicht, bei dieser Gelegenheit eine Menge irrer Typen zu erleben, reizte mich enorm. Aber die Sache hätte damit geendet, daß ich in der Mollstraße abgesetzt worden wäre, und die Vorstellung, ich sollte das Zeitalter der Volljährigkeit mit dem vorwurfsvollen Anblick meiner Greise beginnen, schreckte mich ab.

Ich sagte höflich, ich fühlte mich auf der Bank ganz gut, und außerdem sei es inzwischen hell geworden, was wiederum völlig der Wahrheit entsprach. Der Polizist ging enttäuscht ab, und nach einer Weile hörte ich den Motor seines Streifenwagens anspringen.

Ich las danach, was bei den immer besser werdenden Lichtverhältnissen überhaupt keine Mühe mehr machte, das erste Kapitel von Hemingways Buch, wo sich Robert Jordan mit dem Alten unterhält. Danach las ich noch mal das unbeschreibliche Kapitel, wo Robert Jordan auf das Mädchen trifft und wie ihm das Mädchen ihre schreckliche Geschichte erzählt. Ich vergaß vollkommen meine Umgebung dabei. Ich las vielleicht drei Stunden. Dann stand ich auf und reckte mich und warf noch einen letzten dankbaren Blick auf Hemingways Buch. Es sah wirklich ungeheuer zerlesen aus. Neben der Bank stand ein Abfallkorb. In dem Abfallkorb lagen zerknüllte Zeitungen, leere Zigarettenschachteln und total vergammelte Apfelsinenschalen. Ich nahm meinen zerlesenen Hemingway und legte ihn in den Abfallkorb. In der Bibel, hatte mir Oma Hela erzählt, gibt es einen Mann, der Abraham heißt und das Beste, was er hat, nämlich seinen Sohn, einfach opfern will. Aus irgendeinem Grunde kommt er dann doch nicht dazu. Ein zerlesenes Buch von Hemingway ist kein lebendiger Mensch. Ich übertreibe kein bißchen, wenn ich sage, daß mir in diesen Minuten sterbenselend zumute war.

16

Der Morgen war schön, und dem Tag war anzusehen, daß er ein ganz ungeheures Wetter haben würde. Ich suchte irgendeinen Ort, wo ich etwas kriegen konnte, das vielleicht ein Frühstück war. Ich mußte wieder bis zum Bahnhof Friedrichstraße gehen. Dort existiert ein Selbstbedienungsschuppen, der um diese Zeit offen ist und in dem meistens ein ganz unbeschreibliches Publikum verkehrt. Ich mußte mir ein Tablett nehmen und warten. Als ich den Laden betrat, hatte ich noch echten Hunger. Als es dann für mich schließlich soweit war, reichte es gerade noch für eine trockene Schrippe und ein Kännchen Tee. Ich stellte mich an einen der Tische und probierte, was ich von dem Einkauf in meinem Magen behielt. Der Tee schmeckte nach gar nichts. Das deprimierendste an dem Laden war, daß er so unerhört modern sein wollte.

Ich verließ den Laden und sah mir erst mal wieder den Himmel an. Ich überlegte, ob ich nach Rahnsdorf fahren sollte, an den Müggelsee oder nach Grünheide, wo das Wasser viel klarer ist. Für eine Minute war ich beinahe entschlossen. Dann stellte ich mir vor, daß es dort Millionen von dicken nackten Bäuchen geben würde und Zigarettenkippen im Wasser und Benzinmief, und das machte mir gleich solche Übelkeit, daß ich den Gedanken aufgab. Aus irgendeinem Grunde dachte ich an Jarosław. Ich hatte dann eine andere Idee. Ich stieg in eine Straßenbahn und fuhr bis zur Gartenstraße. Ich dachte nämlich, ich würde an einem Tag wie dem das ganze Hallenbad, das es dort gibt, für mich allein haben, und das war genau das, was ich in diesem Augenblick brauchte. An der Kasse sagten sie, in dem Becken trainierten irgendwelche Hochleistungsheinis und die Halle wäre gesperrt. Ich meckerte eine Weile herum, aber weil ich einmal da war, ließ ich mir wenigstens eine Wanne geben.

Ich war seit zirka zwei Tagen ungewaschen, und mein Gefühl war zuletzt, meine Haut wäre mit einer Art von schmieriger Kruste überzogen, die man eigentlich nur noch mit einem Spachtel abbekam. Dieser Zustand war absolut unmöglich. Jetzt lag ich eine Viertelstunde in der Wanne, und mir wurde immer besser. Ich fand, daß ich, wie ich da so lag, eigentlich ganz gut gewachsen war. Ich ließ zweimal Wasser nach, und schließlich duschte ich mich eiskalt, und danach war mir beinahe hervorragend. Ich verließ das Hallenbad und ging zum nächsten Frisör in der Wilhelm-Pieck-Straße. Es war wenig Betrieb. Ich flegelte mich in einen Sessel und verlangte, daß sie mir die Haare zusammenschnitten bis auf ungefähr vier Zentimeter. Ich hatte bis dahin Loden, die mir mindestens zwei Handbreit über die Schultern reichten. Die Frisöse war ungefähr so alt wie ich und hatte lauter Frisörkunst auf dem Kopf. Sie schrie entsetzlich, als ich ihr sagte, was ich wollte. Sie behauptete, andere Mädchen würden ungeheures Geld ausgeben, wenn sie dafür Loden hätten wie ich; sie empfahl mir Wäsche und Packung und eine Menge mehr. Ich wiederholte ihr kalt, was ich wollte, und so fing sie an. Sie quatschte dann irgendwas über Mode und Rocklänge und Manfred Krug, und weil mir das auf die Nerven ging, langte ich mir eine Illustrierte, die neben dem Waschbecken lag. Ich fand einen Artikel über sexuelle Probleme. In dem Artikel stand, daß Frauen in leitenden Funktionen höchstens fünfmal im Monat geschlechtlichen Verkehr haben, aber diese Zahl habe nichts zu bedeuten, weil es doch vor allem darum gehe, *aus jedem Intimverkehr ein Fest der Lebensfreude zu machen.* Ich klappte die Illustrierte zu und versuchte mir vorzustellen, wie jemand aussieht, der solchen Schwachsinn drucken läßt.

Die Frisöse war inzwischen fertig und kehrte meine abgeschnittenen Loden zusammen. Ich fand mich fabelhaft anders. Vielleicht hatte Robert Jordans Kaninchen so ausgesehen.

Es dürfte inzwischen klargeworden sein, daß ich vorhatte, mich entscheidend zu verändern. Das nächstliegende war natürlich, daß ich zurück zu den Greisen ging. Es würde alles wieder da anfangen, wo es aufgehört hatte, als ich fortgegangen war, aber ich konnte es immerhin versuchen, und irgendwo mußte ich schließlich bleiben. Immerhin waren inzwischen zwei Tage vergangen. Es konnte ein Wunder passiert sein, und die Greise hatten sich geändert. Es konnte ein Wunder passiert sein, und die ganze Situation mit mir und E-O-Es hatte sich geändert. Obwohl mich der Gedanke an E-O-Es längst nicht mehr so ergriff wie früher. Ich war schließlich so weit, daß ich die Sache für mich prüfen wollte.

Ich fuhr in die Mollstraße. Ich stellte mich vor das Haus, in dem die Greise wohnten. Die Sonne flimmerte auf den Kacheln. Ich blickte hoch zum sechsten Stock. Die Fenster der Greise waren geschlossen. Auf der Mollstraße war mäßiger Autoverkehr. Es roch nach Benzinabgas und flüssigem Teer. In mir regte sich überhaupt nichts.

Ich ging immerhin in den Hausflur. Ich ging bis zum Lift. Der Lift war unterwegs, und ich drückte den Knopf. Ich blickte die Treppen hoch. Die Treppen waren eng und verwinkelt und hatten dürre Eisengeländer an den Seiten. Irgendwie erinnerte mich der Anblick an Knast, so wie ich ihn aus dem Kino kannte. Ich hörte einen Hund bellen. Ich kann Hunde im allgemeinen nicht leiden. Der Lift kam, und die Tür ging auf. Ein fleischiger Kerl mit offenem Kragen und rotem Gesicht kam heraus. Ich kannte ihn nicht. Der Kerl musterte mich kurz. Ich ließ den Lift stehen und hatte erst mal keine Lust, die Prüfung hier fortzusetzen.

Ich fuhr zur Schönhauser Allee. Ich stellte mich vor das Haus, in dem wir früher gewohnt hatten. An der Hausfassade war ein Gerüst aufgestellt, die Maler turnten darauf herum und hantierten mit Spritzpistolen. Zwei von den Malern standen direkt vor dem Fenster, das früher zu unserer Küche gehört hatte. Hinter mir hörte ich die U-Bahn. Ich ging in den Hausflur. Auf dem stummen Portier fand ich, wo früher Marczinkowski gestanden hatte, den Namen Kreißelmeier. Der Hausflur roch fast genau so, wie ich ihn in Erinnerung hatte. Ich fühlte mich sofort ergriffen. Aber dort oben wohnten, wie gesagt Leute, die Kreißelmeier hießen, vor dem Küchenfenster standen Maler mit Spritzpistolen, und Oma Hela war tot. Ich dachte wieder an Jarosław.

Ich fuhr zu den Linden, wo es einen großen Sportwarenladen gibt. Der Laden war nudelvoll, und ich mußte ungefähr eine halbe Stunde warten. Die Leute kauften Bademäntel, Schwimmflossen und Taucherbrillen wie wild. Als ich schließlich bedient wurde, fragte ich nach einem Schlafsack. Die Verkäuferin sah mich an, als hätte ich was Unanständiges von ihr verlangt. Ich rechnete schon damit, daß sie mir gleich die übliche Auskunft geben würde, die gewünschte Ware wäre vergriffen und ich sollte in vier Jahren wieder nachfragen, wenn die nächste Lieferung gekommen ist. Tatsächlich ging sie aber ins Lager und kam nach zehn Minuten mit einem Schlafsack zurück. Er gefiel mir sofort enorm. Der Preis war allerdings so, daß ich erst mal schlucken mußte. Ich überlegte, ob ich mit der Verkäuferin über den Preis verhandeln sollte, nach der Art von Oma Hela. Vielleicht hätte die Erfolg gehabt. Ich war aber nicht Oma Hela, sondern bloß ihre Enkelin. Außerdem hätte die Verkäuferin todsicher wieder ihr unanständiges Gesicht gezogen, und so bezahlte ich die Rechnung ohne Widerspruch.

Ich ging danach bis zur Schillingstraße, wo es eine Automatenreinigung gibt. In der Reinigung war ausnahmsweise nicht viel Betrieb. Eine Frau steckte meine Klamotten in die Trommel und ließ sie rotieren. Als sie die Sachen wieder herausnahm, verhandelte ich kurz mit ihr. Sie hielt mich vermutlich für irre, aber sie machte mit. Sie brachte mich in ein Hinterzimmer, wo ich die Wäsche wechseln konnte. Ich stieg in die gereinigten Klamotten. Sie rochen nach Chemie, aber jedenfalls rochen sie nicht mehr nach Mollstraße, Ostbahnhof und Parkbank. Die Frau ließ jetzt die Klamotten rotieren, die ich eben am Leib gehabt hatte. Es war damit jede Spur von Vergangenheit bei mir getilgt, soweit es den Geruch betraf.

Ich fuhr mit der U-Bahn bis zum Alexanderplatz und stieg dort um auf die S-Bahn. Ich löste eine ordnungsgemäße Fahrkarte Preisstufe drei. Ich stand auf dem Bahnsteig und stand zwischen lauter Kindern und Be-Zet-A-Verkäufern. Ich wartete auf den Zug nach Erkner.

Ich stieg ein, als er kam. Ich schmetterte mein Gepäck auf eine Bank und setzte mich daneben. Mir gegenüber saß ein dürrer ernsthafter Afrikaner. Er trug einen schwarzen Anzug und

Sonnenbrille. Ich sah mir durch das Fenster die Bahnhöfe Jannowitzbrücke, Warschauer Straße und Ostkreuz an. Der Afrikaner stieg in Karlshorst aus. Die Wärme im Wagen war ungeheuer. Ich prüfte mich noch mal kurz und fand, daß alles in Ordnung war. Hinterm Fenster schaukelten jetzt die Kiefern zwischen Wuhlheide und Köpenick. Ich hatte beschlossen, nach Jarosław zu fahren.

17

In Erkner war der Anschlußzug nach Frankfurt eben abgefahren, und ich hatte eine halbe Stunde Zeit, auf den nächsten zu warten. Erkner hat einen ziemlich kleinen Bahnhof. Ich ging auf den Vorplatz, wo es eine Brücke, eine krumme Straße, drei Plakate und ein Taxi gab. Der Tag war hier genauso heiß wie in Berlin, und es roch ganz ungeheuer nach Teer. Wenn es nicht gerade an Stränden, am liebsten Salzwasserstränden ist, wo sich die Seeluft untermischt, kann ich Teergeruch nicht ertragen. Ich ging wieder zurück in den Bahnhof. Ich hatte seit der Schrippe am Morgen nichts gegessen. Ich suchte einen Wartesaal und fand keinen. Also ging ich wieder hoch auf den S-Bahnsteig, wo ein Kiosk stand. Ich kaufte eine warme Wurst und einen Sprudel. Die Wurst schmeckte nach Sägespänen. Während ich kaute und trank, verdrehten zwei Typen in En-Vau-A-Uniform die Köpfe nach mir. Sie quatschten und grinsten und quatschten offenbar über mich. Ich zog mein affigstes Gesicht und ließ eine halbe Sägespanwurst in den Abfallkorb gleiten.

Ich kaufte eine Fahrkarte nach Frankfurt und ging mit meinem Gepäck auf den Fernbahnsteig. Ich atmete noch zehn Minuten die miese Teerluft von Erkner, dann wurde der Zug hereingeschoben, und ich bekam ein Abteil für mich allein. Ich flegelte mich in die Ecke. Die Fensterkante war voller Ruß. Als der Zug endlich losfuhr, legte ich meine Füße auf die Bank gegenüber und wartete darauf, daß ein Bahn-Mensch käme, nach meiner Fahrkarte fragte und mir mit nassem Mund eine Strafpredigt hielt, weil ich meine Füße auf die Bank legte. Ich wartete, sah mir durch die grauen Scheiben wieder Kiefern an und schlief dabei ein. Als ich wieder aufwachte, war kein Bahn-Mensch gekommen, dafür befand ich mich in Frankfurt an der Oder.

Ich stieg aus. Frankfurt hatte Wolken am Himmel, und das war mir ungeheuer sympathisch. Ich ging zur Gepäckaufbewahrung und gab dort meine Tasche und den Schlafsack ab. Von Frankfurt fahren mehrmals täglich Züge nach Polen. Irgendwann würde ich mir eine Fahrkarte kaufen und Stunden und Stunden durch Polen fahren, bis ich in Oma Helas Heimat war. Jetzt aber war ich in Frankfurt und wollte, da ich Frankfurt nicht kannte, erst mal zwei, drei Blicke auf Frankfurt werfen. Ich ging aus dem Bahnhof hinaus und ging durch eine Menge grauer Straßen. Frankfurt kam mir irgendwie weitläufig und ungeheuer sauber vor. Ich fand ein Schild, auf dem ein Pfeil Richtung Grenzübergang wies, und diesem Pfeil ging ich nach. Ich kam auf eine viel zu breite Straße mit vielen neuen Häusern. Irgendwann fand ich eine Querstraße, und gegenüber der Querstraße war der Anfang von einer Brücke. Ich sah ein paar flache Gebäude und Holzschranken und ahnte sofort, daß hier die Grenze sein mußte.

Ich wußte, daß seit einem halben Jahr jeder über diese Grenze gehen konnte ohne irgendwelchen Aufwand. Voraussetzung war bloß, daß er entweder bei uns wohnte oder in Polen. Diese Regelung war unheimlich praktisch, und durch diese Regelung war es beispielsweise möglich, daß ich plötzlich mir nichts, dir nichts nach Jarosław fahren konnte, wo Oma Hela herkam.

Jetzt ging ich erst mal auf die Holzschranken zu und auf die flachen Gebäude. Es war kein besonderer Betrieb. Es kamen Leute zu Fuß, und es kamen ein paar Wagen und stanken. Ich stellte mich vor einen Schalter mit großen Glasscheiben. Hinter den Glasscheiben saß ein Typ in En-Vau-A-Uniform. Er war kaum viel älter als ich und gehörte zu den Typen, die vom Rasieren lauter rote Flecke im Gesicht behalten. Solche Typen sollten sich einen Bart wachsen lassen, aber ich weiß nicht, ob bei En-Vau-A Bärte besonders populär sind. Der Typ nahm meinen Ausweis, ohne mich zu mustern; er blätterte bloß kurz in den hellblauen Seiten und gab den Paß dann an seinen Nachbarn weiter. Dieser Nachbar trug genauso Uniform, war aber nicht En-Vau-A. Ich ahnte sofort, daß die Uniform polnisch war und der Typ, der in der Uniform steckte, ein Pole. Ich sah ihn mir daraufhin an. Er war ziemlich gelb im Gesicht, was mich an meinen ehemaligen Freund Carlos denken ließ. Er hatte auch eine Zigarette im Mundwinkel auf die Art, wie Carlos rauchte, bloß daß sich der polnische Typ hier nicht mit *Gitane* abgab, wie Carlos;

auf seinem Tisch lag ein angerissenes Zigarettenpäckchen mit der Aufschrift *Piast*. Er machte mit meinem Ausweis ungefähr dasselbe, was sein En-Vau-A-Nachbar gemacht hatte. Er klappte den Ausweis zusammen und schob ihn mir durch das Fenster zu. Er sah mich dabei nicht an. Ich hätte ihn sonst gefragt, ob er vielleicht aus Jarosław kam.

Ich ging weiter über die Brücke. Rechts neben mir war ein Gitter. Unter mir war ein Fluß. Ich ahnte sofort, daß der Fluß Oder hieß, und ich stellte mich erst mal an das Gitter, um in die Oder zu spucken. Nach Möglichkeit spucke ich von jeder Brücke, vorausgesetzt, unter der Brücke ist Wasser. Die Oder hatte graubraunes Wasser und floß ziemlich lässig. Ich sah eine Art Insel mit irgendwelchem Gehölz drauf, das aussah, als hätte es mit dem Wachsen Schwierigkeiten. Rechts von mir war jetzt das Ufer mit den Häusern und den Backsteinwänden von Frankfurt. Auf dem Ufer links gab es Bäume und Wiesen und Dächer; ich wußte vorläufig nicht, wie das hieß, aber ich wußte, das es jedenfalls Polen war, und in Polen lag Jarosław. Oma Hela zuliebe spuckte ich insgesamt dreimal in den Fluß.

Ich ging über die Brücke und ging schließlich von der Brücke herab. Ich kam an eine Straßenkreuzung und dahinter lagem Häuser. Ein deutsches Schild sagte mir, daß ich in der Volksrepublik Polen hochwillkommen sei, und das waren erst mal die letzten deutsche Worte, die ich las. Mann, dieses Polen hat eine ungeheure Sprache! Ich habe in der Penne Russisch gehabt, und da ich in der Penne Spitze hielt, war ich auch in Russisch nicht schlecht. Russisch ist eine slawische Sprache wie Polnisch. Russisch ist eine slawische Sprache wie Tschechisch und Slowakisch. In der Slowakei war ich mit meinem Russisch ganz schön weit gekommen, wobei ich zugeben muß, daß die Leute dort selber ganz gut russisch sprachen und noch besser deutsch. Hier kapierte ich so viel, daß der Ort, wo ich war, Słubice hieß, und dann erriet ich noch vier, fünf andere Worte. Es gab eine Menge komischer Häkchen und Punkte und Striche an den Buchstaben, mit denen ich nichts anfangen konnte. Ich gab es auf.

Dieses Słubice war verdammt winzig. Es bestand aus zirka einem

Dutzend Straßen, und ich lief bißchen drin herum. Es gab Kneipen und Geschäfte und ein Kino. In dem Kino wurde *Love Story* gespielt. Leider war gerade keine Vorstellung. Die Kasse war geschlossen. Ich überlegte immerhin, ob ich bis zur nächsten Vorstellung warten sollte und mir inzwischen die Zeit vertreiben. Dann fand ich, daß, um nach Jarosław zu fahren, eine Kinovorstellung von *Love Story* vielleicht nicht der geeignete Anfang war, und ich beschloß, darauf zu verzichten.

Ich sah eine Menge kleiner Kinder, die alle dunkle Haare hatten und wie besessen durch die Straßen rannten. Dann sah ich etwas, das ein Wochenmarkt war oder auch wieder nicht, weil die Verkaufsstände von fünf Figuren unmöglich ein Wochenmarkt sein können. Sie hatten außerdem keine Verkaufsstände, sondern bloß Kisten auf der Erde oder einfach Papier auf dem Boden, worauf ihr Grünzeug lag. Salatköpfe, Möhren, Kohlrabi, Zwiebeln, Knoblauch und Eimer mit Schnittblumen, meistens Levkojen. Die Leute gingen vorüber, sahen sich das an, und manche kauften. Die Verkäufer kassierten ganz lässig und ohne großen Aufwand. Sonst saßen sie auf ihren Schemeln und sahen in die Sonne, denn die war wieder da. Mir gefiel das alles. Auf einem von den Schemeln saß eine alte Frau mit weißem Kopftuch. Sie hatte helle Augen und nicht mehr besonders viel Zähne im Mund. Sie erinnerte mich trotzdem irgendwie an Oma Hela. Während ich dastand und sie ansah, drehte sie allmählich ihr Gesicht aus der Sonne, hin zu mir, und dabei kniff sie das rechte Auge auf eine ulkige Art zusammen. Ich fand das fabelhaft. Ich hätte plötzlich in die Luft springen könnnen. Ich wollte nach Jarosław, und nichts in der Welt hätte mich in dieser Sekunde davon abbringen können. Ich fragte mich bloß, warum ich nicht längst schon dort war.

18

Ich ging ungeheuer schnell aus Słubice heraus und wieder auf die Brücke. Ich vergaß diesmal, in die Oder zu spucken. Man kann das einfach nicht jedesmal tun. Die Abfertigung war jetzt auf der anderen Seite. Das Gebäude sah genauso aus wie das Gebäude gegenüber, aber im Unterschied zu vorhin war jetzt mächtiger Verkehr. Vor dem Schalter warteten zirka vierzig Menschen, einer hinter dem anderen, und ich stellte mich an. Warten macht mich immer gereizt, und hier war es heiß, und außerdem brannte ich darauf, den nächsten Zug nach Jarosław zu kriegen. Die Abfertigung ging zuerst auch ziemlich schnell, aber dann gab es plötzlich eine Stockung, weil offenbar da vorn ein dusseliger Typ war, mit dessen Ausweis es nicht stimmte. Die Stockung dauerte zirka drei, vier Minuten. Ich trat von einem Bein aufs andere. Jemand hauchte mir von hinten in den Hals und sagte dazu etwas, das ich in keiner Silbe verstand. Heute weiß ich, daß es vermutlich *przepraszam czy trzeba tu czekać długo* geheißen hat oder so.

Ich riß den Kopf herum und sagte: Bitte?

Hinter mir stand ein Typ in amerikanischer Segeltuchkutte mit Kapuze. Mann, und das bei der Temperatur! Die Segeltuchkutte sagte, völlig überflüssig: Ah, Sie sind keine Polin?

Ich hätte am liebsten gefragt: Wieso tragen sie eigentlich keinen Pelz? Aber ich bezwang mich. Ich sagte: Seh ich vielleicht wie 'ne Polin aus?

Etwas.

Ist das ein positives Urteil?

Für mich ja.

Muß ich drüber nachdenken.

Ich dachte drüber nach. Die Segeltuchkutte hatte mittelblondes Haar, das keinesfalls besonders lang war. Der Typ hatte keine besonders ausdrucksvolle Nase. Ich achte auf Nasen. Ich stehe unbedingt auf ausdrucksvollen Nasen. Der Typ war größer als ich, was aber bei meinen einsneunundfünfzig nicht viel heißen will. Er sprach Deutsch in der Art von Oma Hela, was mich sofort ergriff.

Ich sagte schließlich: Sie geben also einem Typ, der polnisch aussieht, den Vorzug vor einem Typ, der nicht polnisch aussieht, sondern beispielsweise deutsch?

Ich bin selber Pole, sagte der Typ.

Das ist keine Antwort.

Der Typ blieb ganz ernsthaft und sagte: Ich weiß keine bessere.

Mir fiel daraufhin eine Menge ein. Das meiste waren Beleidigungen. Man soll Ausländer nicht überfordern, schon weil Beleidigungen das letzte sind, was jemand in einer anderen Sprache beherrscht. Ich lenkte also ein und sagte: Was haben Sie mich eigentlich vorhin fragen wollen?

Der Typ sagte höflich: Ich wollte wissen, ob das hier lange dauert.

Keine Ahnung, sagte ich. In der anderen Richtung ging es schneller.

Sie waren lange bei uns?

Knappe Stunde vielleicht.

Der Typ fragte teilnahmsvoll: Es hat Ihnen gefallen?

Hatte es mir gefallen? Ich hatte eine alte Frau gesehen, die mir das rechte Auge zukniff. Ich wollte eigentlich nach Jarosław. Ich entschloß mich zu meiner lässigsten Tour, zuckte die Achseln und sagte: Häuser. Läden. Leute.

Der Typ ereiferte sich bißchen: Słubice ist ein kleiner Ort. Wir haben andere Städte. Polen ist schön.

Mir fiel nichts anderes ein als: Brandenburg ist auch schön.

Er ging sofort in Reserve. Er hauchte: Ich wollte Sie nicht kränken.

Schaffen Sie auch nicht.

Ich liebe mein Land. Ist das schlimm?

Ich kann, sagte ich, Leute lieben, wenn's hoch kommt. Den einen oder anderen Typ. Ich kann Häuser lieben. Und Straßen. Und Sofas. Und Vollbäder. Und alte Frauen.

Ich sah, wie das den Typ in der amerikanischen Segeltuchkutte schaffte. Vielleicht hatte er auch nicht alles verstanden. Es genügte, daß ich es verstand. Die Abfertigung war inzwischen weitergegangen, und als ich mit meiner Rede zu Ende war, stand ich vor dem Schalter. Ich fragte den Typ noch: sie sagen nichts darauf?

Er sagte reserviert: Sie haben merkwürdige Meinungen. Ich muß darüber nachdenken.

Mich beruhigte, daß er offenbar das meiste verstanden hatte. Ich schob meinen Ausweis in den Schalter. Der Typ atmete neben mir. Er sagte nichts. Ich kriegte meinen Ausweis zurück. Während ich ihn einsteckte, sagte ich noch: Ich will Ihnen ein Geheimnis verraten, Mann. Brandenburg ist eigentlich eher belemmert.

Dann ging ich von der Brücke herab. Ich drehte mich einmal um und bemerkte, wie die Segeltuchkutte ziemlich entnervt hinter mir hersah. Aus irgendeinem Grunde machte mich das ungeheuer stolz.

19

Ich habe schon gesagt, daß mich Warten ankotzt, und die Haupt-
ursache dafür ist, daß ich Warten als ziemlich ekelhafte Anstren-
gung empfinde. Es schlaucht mich einfach. Ich stand auf der
Hauptstraße von Frankfurt und merkte, wie mir die Knie weich
wurden. Es war Nachmittag, und es war Hitze, und ich hatte an
diesem Tag nichts gegessen als eine Schrippe und eine halbe
Wurst. Ich beschloß, meine Fahrt nach Jarosław um eine halbe
Stunde zu verschieben und erst mal eine Kneipe zu suchen.
Ich ging zirka hundertfünfzig Schritte auf der Hauptstraße und
geriet an einen Schuppen, der *Stadt Frankfurt* hieß. Ich ging hinein. Ich hätte lieber nicht hineingehen sollen. Es war einer von
den Schuppen, in denen ich regelmäßig sauer werde. Der Schuppen war teuer, und alle, die sich darin bewegten, taten das mit
dem deutlichen Ausdruck, daß sie wüßten, wie teuer es ist. Ich
hätte am liebsten laut geschrien. Aber ich saß jetzt hier und hatte
tatsächlich Hunger, und ich ließ mir einen Eierkuchen kommen
und einen Tee.
Immer, wenn ich von innen her sauer werde, frißt das sofort ungeheuer um sich und erfaßt mich am Ende total. Ich hätte wirklich nicht in diesen Schuppen gehen sollen. Ich aß meinen Eierkuchen, der nicht mal schlecht war, aber während sich mein Magen deutlich besser fühlte und meine Knie sowieso keinen Grund
mehr hatten, weich zu werden, fing ich doch ernsthaft an, über
Jarosław und meine Fahrt dorthin nachzudenken. Dabei war das
Beste an der Reise, daß sie bis jetzt *spontan* gewesen war. Es gibt
Dinge, die durch zuviel Nachdenken einfach aufhören, wahr zu
sein. Als wenn einer Schwefelsäure auf Watte kippt. Es stinkt ein
bißchen, und übrig bleibt ein Klecks Brühe. Und während ich
meinen Eierkuchen aufaß und den Tee trank und mein Magen
jetzt beinahe hervorragend war, rechnete ich nach, daß ich ungefähr hundert Mark besaß und wieviel die Fahrkarte kosten würde
und wieviel mir in Jarosław überhaupt zum Leben blieb und so.
Um ein Haar hätte ich die ganze Reise aufgegeben. Es war

wirklich zum Heulen. Immerhin war ich wenigstens noch klar genug, zu entdecken, daß es einfach der blöde Schuppen war, der an meinen gräßlichen Gedanken schuld hatte und ich bezahlte, so schnell ich konnte.

Auf der Straße wurde mir tatsächlich besser. Es war plötzlich gar keine Frage mehr, daß ich nach Jarosław wollte. Ich trabte Richtung Bahnhof. Aber wie das so ist, ein paar von den blöden Gedanken waren hängengeblieben und fraßen weiter. Ich merkte, wie ich allmählich langsam wurde. Ich stand an einer Ampel, die auf Rot geschaltet war, und ich blieb auch stehen, als sie auf Grün geschaltet wurde. Ganz Frankfurt und Umgebung kreischte auf Rädern an mir vorbei, und die Sonne fing an, schräges Licht zu machen.

Schließlich hatte ich einen Einfall. Ich überprüfte ihn und fand, daß er gut war. Ich überprüfte ihn noch mal und ließ mir Zeit dazu. Ich fand, der Einfall war wirklich gut. Ich ging zurück zu der Brücke und nahm Aufstellung. Meine Chance war nicht hundertprozentig, aber nach meinen augenblicklichen Berechnungen war sie nicht schlecht. Ich setzte mich auf einen Mauervorsprung und wartete. Ich wußte, daß ich vielleicht eine ziemliche Zeit warten mußte, aber da ich es wußte, richtete ich mich darauf ein. Aus der Oder kam ein Geruch, der schwach faulig war. Ich fing an, die Autos zu zählen. Ich kam bis dreiundneunzig und hörte dann auf. Ich sah einen Haufen Leute. Ich sah sieben Frauen, die mit zirka dreißig Schuhkartons über die Grenze gingen. Ich sah Schwalben in der Luft. Der Himmel war absolut farblos. Es kamen zwei Leute vorbei, die amerikanische Segeltuchkutten mit Kapuze trugen. Offenbar war ganz Polen von solchen Klamotten überschwemmt. Ich wartete über eine Stunde und fing schon wieder an, darüber nachzudenken, ob ich nicht vollkommen wahnsinnig war. Aber ich war es nicht, und meine Berechnungen gingen hundertprozentig auf, denn schließlich sah ich eine dritte Segeltuchkutte auf die Brücke zukommen. Es war die Kutte, auf die ich gewartet hatte. Ich sah sie schon von ferne, und ich ließ mir Zeit, bis ich sicher sein konnte, daß es wirklich *meine* Kutte war. Dann genoß ich den Anblick, und als die

Kutte direkt neben mir war, sagte ich ganz lässig: Na, da sind Sie.

Die Kutte blieb stehen. Der Typ sah mich genau mit dem Blick an, mit dem er mich auch vorher zuletzt angesehen hatte: vollkommen entnervt. Er fing sich ziemlich rasch, denn er sagte: Ah, wie lustig.

Hat's Ihnen gefallen bei uns, sagte ich.

Es war sehr interessant.

Ich kannte mal Leute, sagte ich, die aus Moskau kamen. Wenn diesen Leuten was gefiel, sagten sie: sehr schön. Wenn ihnen was nicht gefiel, sagten sie: sehr interessant.

Ich komme nicht aus Moskau, sagte der Typ.

Soviel habe ich begriffen.

Der Typ hielt sich verdammt gut. Er war ungeheuer ernsthaft, aber es war nicht so, daß er deswegen steif oder knurrig wurde. Er stand vor mir, und das einzige, was schließlich passierte, war, daß er den linken Fuß auf den Mauervorsprung setzte; das tat er keinesfalls lässig, sondern eher vorsichtig, und insgesamt wirkte er völlig anders als alle Typen, die ich sonst kannte. Ich rede gar nicht von dem Schusterladen. Die Jungs dort waren sowieso eine Sorte für sich. Ein Typ wie der hier war mir noch nie begegnet, sachlich, und erst mal gratulierte ich mir zu meinem Einfall. Wir redeten beinahe eine halbe Stunde, und der Typ hielt sich nach wie vor erstklassig, obwohl ich ihm weiß Gott eine Menge zumutete.

Die Unterhaltung ging folgendermaßen:

Sie wollen, fragte er, wieder nach Słubice?

Weiß nicht, sagte ich. Sie wollen offenbar?

Ja, sagte er, ich habe mein Gepäck in Słubice.

Genau so was habe ich mir gedacht, sagte ich. Wenn jemand ohne Gepäck über die Grenze geht, wird er höchstens zwei, drei Stunden bleiben.

Sie haben auch kein Gepäck, sagte er.

Ich bin, sagte ich, in derselben Lage wie Sie.

Kann ich etwas für Sie tun?

Ja, sagte ich, kommen Sie mit mir nach Jarosław.

Jarosław, sagte er.

Ja.

Wissen Sie, wo Jarosław liegt?

Östlich, sagte ich. Auf der Strecke zwischen Krakau und Przemyśl.

Kaufen Sie sich eine Fahrkarte, sagte er. Es gibt von hier aus keine direkte Zugverbindung. Sie müssen in Poznań umsteigen oder in Krakau, aber in zehn Stunden sind Sie in Jarosław.

Das, sagte ich, habe ich mir alles auch schon überlegt. Es geht nicht darum, daß ich nicht wüßte, wie ich nach Jarosław komme. Es geht darum, daß ich jemanden suche, der mit mir nach Jarosław fährt.

Ich, sagte er.

Ja, sagte ich.

Warum eigentlich?

Einfach, sagte ich. Jarosław liegt, wie Sie richtig sagen, ungefähr zehn Zugstunden von hier fort. Jarosław liegt ungeheuer östlich. Es könnte zum Beispiel sein, daß ich mich in Jarosław verfranse, und da brauche ich jemanden, an den ich mich halten kann.

Es gibt überall hilfreiche Leute, sagte er.

Kann sein, sagte ich, kann sein, nicht. Ich will jedenfalls kein Risiko eingehen bei der Entfernung, und das ist eigentlich verständlich. Oder?

Er schien das irgendwie einzusehen. Er wechselte erst mal das Standbein und fragte dann: Warum ausgerechnet ich?

Einfach, sagte ich. Sie sind der einzige Pole, den ich kenne.

Dieses Argument war absolut schlagend, und er sagte auch nichts darauf. Er dachte drei, vier Sekunden nach und fragte schließlich: Was suchen Sie eigentlich in Jarosław?

Mit dieser Frage hatte ich rechnen müssen, und ich war auch darauf vorbereitet. Ich erzählte, so gut es ging, von Oma Hela und den Greisen. Insgesamt wurde es ein ungeheuer langer Vortrag. Ich schloß damit, daß ich sagte, Jarosław sei eben enorm wichtig für mich, und das einzige, was mir fehle, sei jemand, an den ich mich halten konnte, wenn es darauf ankam. Der Typ sah mich die ganze Zeit an. Er grinste, während ich redete, keinmal.

Er wechselte bloß zwischendurch wieder das Standbein, was verständlich war, weil wir ja immerhin ungefähr eine halbe Stunde redeten. Der Typ hatte mittelblaue Augen, so wie er mittelblonde Haare hatte. Ich kann nicht sagen, daß er ein besonders eindrucksvoller Typ war. Bis höchstens auf seine amerikanische Segeltuchkutte, aber ich habe wohl schon erwähnt, daß es in Polen zur Zeit eine Art Schwemme davon zu geben schien.

Der Typ sagte eine ganze Weile nichts, als ich aufgehört hatte. Ich fand das vollkommen in Ordnung. Ich fand, ich mußte ihm Zeit lassen. Die Sonne war inzwischen so weit, daß sie sich auf die ausgekohlten Backsteintürme von Frankfurt spießen wollte, was nichts anderes bedeutete, als daß es allmählich Abend wurde. Der Typ blickte ungeheuer interessiert auf die Backsteintürme. Ich wollte ihn dabei nicht stören.

Wissen Sie, sagte er schließlich, ich habe den Eindruck, wir kommen heute nicht mehr nach Jarosław. Was halten Sie davon, wenn wir jetzt hier irgendwohin gehen?

Ich fand den Vorschlag glänzend und federte augenblicklich von meinem Sitz.

20

Wir gingen wieder von der Brücke herunter. Der Typ hatte noch gesagt, es wäre vernünftig, wenn wenigstens einer von uns erst mal sein Gepäck bei sich hätte, und da es Blödsinn gewesen wäre, nach Słubice zu gehen, wo der Typ sein Gepäck hatte, und weil wir sowieso noch in Frankfurt waren, gingen wir also zum Bahnhof, wo ich mein Gepäck hatte. Der Typ war in allem, was er vortrug, enorm vernünftig. Wir gingen über die viel zu breite Hauptstraße von Frankfurt, wo es inzwischen weniger Verkehr gab. Die Luft wurde kühler, weil die Oder mit ihrem Wasser in der Nähe war, außerdem stand die Sonne jetzt wirklich schräg. Obwohl es natürlich noch Stunden dauern würde, bis sie endgültig unterging. Der Pole hatte übrigens eine ziemlich angenehme Art zu gehen. Bißchen wie Neger in amerikanischen Filmen, zum Beispiel Sidney Poitier, der ein ungeheurer Typ ist. Der Pole ging natürlich längst nicht so wie Sidney Poitier, dafür war er kein Neger, sondern Pole, aber außer seiner Art, vernünftig zu sein, beeindruckte mich seine Art zu gehen am meisten.

Wir kamen zum Bahnhof und lösten mein Gepäck aus. Der Pole bestand darauf, daß er die Tasche und die Schlafsackrolle tragen müßte. Er ließ sich nicht davon abbringen. Ich war so was nicht gewöhnt.

Wir fuhren diesmal mit der Straßenbahn zurück. Wir stiegen an der Brücke aus, aber statt zur Grenze zu gehen, steuerte der Pole auf das blöde *Stadt Frankfurt* zu, und weil er mein Gepäck hatte, blieb mir nichts anderes übrig, als hinter ihm herzuziehen. Ich redete auf ihn ein und beschrieb ihm alle Scheußlichkeiten von *Stadt Frankfurt,* wie scheißteuer es dort war und daß man augenblicklich wahnsinnige Depressionen bekam; aber so vernünftig er meistens war, so borniert konnte er auch wieder sein.

Das Restaurant war nudelvoll. Überall saßen Leute im Greisenalter, die aussahen, als hätten sie gerade eine überflüssige Tagung hinter sich. Die Frauen in Seidenfräcken und mit ungeheuren

Eisbechern vor sich. Es war jedenfalls nichts zu machen. Der Pole ging zum Empfang und fragte, ob zwei Zimmer frei wären. Der Mann am Empfang musterte die amerikanische Segeltuchkutte und sagte: nein, es wäre alles besetzt. Ich weiß nicht, ob der Mann die Wahrheit sagte oder ob er vielleicht was gegen uns hatte, aber jedenfalls war der Umstand, daß weder im Restaurant noch in den Zimmern Platz für uns war, die einzige gute Tat, die *Stadt Frankfurt* fertiggebracht hatte, solange es existiert.

Wir standen wieder auf der Straße, und ich hatte keine Gelegenheit gehabt, überhaupt ein bißchen sauer zu werden. Der Pole sagte, wir müßten uns dann eben in Słubice umtun, und ich fand das endlich wieder vernünftig. Wir gingen auf die Brücke zu. Mir war plötzlich klar, daß ich den Polen überhaupt nicht richtig anreden konnte, und so fragte ich ihn, wie er hieß. Er sagte was, das ich absolut nicht verstehen konnte. Inzwischen weiß ich, daß es Ziębiński hieß. Das Häkchen bedeutet beispielsweise, daß es sich um einen Nasal handelt. Ungefähr wie im Französischen. Ich kann kein Französisch, und überhaupt ist es so, daß sich dieser Name eigentlich überhaupt nicht aussprechen läßt. Ich sagte es dem Polen. Er wiederholte den Namen. Ich sagte, ich könnte ihn trotzdem nicht aussprechen. Er wiederholte ihn noch mal, als ob es dadurch besser würde, was aber nicht der Fall war. Ich fragte, ob das sein Nachname wäre oder sein Vorname. Er sagte Nachname. Ich fragte ihn nach seinem Vornamen. Er sagte: Jan. Das konnte ich aussprechen, und ich sagte ihm, ich hieße Gittie.

Wir waren inzwischen auf der Brücke, wo es so gut wie keinen Betrieb mehr gab. Die Kontrollen waren genau so lässig wie beim erstenmal. Ich vergaß wieder in die Oder zu spucken, und wir gingen nach Słubice. Inzwischen fing es an, bißchen dämmrig zu werden. In Słubice hatten sie die ersten Lichter in den Läden angezündet, obwohl es im Prinzip noch prima hell war. Auf den Straßen war ungeheurer Betrieb. Es standen enorm viel Jungs herum und blickten starr auf die Passanten. Vor dem Kino mit dem Film *Love Story* drängten sich Leute, aber ich hatte inzwischen keine Lust mehr auf *Love Story*. Neben dem Kino war eine

Kneipe. Mein Pole, der mit Vornamen Jan hieß, ging mit mir hinein. Die Kneipe war ziemlich leer. Hinter dem Tresen stand eine ältere Frau. Mein Pole, der Jan hieß, redete polnisch mit ihr, und die Frau langte hinter den Tresen, wo Jan sein Gepäck abgestellt hatte. Das Gepäck waren ein Rucksack und ein Fotoapparat. Rucksack war natürlich ungeheuer vernünftig, wenn ich zum Beispiel an meine Tasche dachte, aber Jan war meistens vernünftig, außer wenn er sich plötzlich *Stadt Frankfurt* in den Kopf setzte, woraus glücklicherweise nichts geworden war.

Wir fanden beinahe schon am Ortsausgang von Słubice ein Hotel der zweiten Kategorie, und das Hotel hatte zwei Zimmer frei. Die Wirtin war ziemlich umgänglich und zeigte uns die Zimmer. Meins hatte ein Bett mit violetter Steppdecke und eine Lampe mit Glasroddeln, und außerdem waren zwei Wände schräg, weil das Zimmer unter dem Dach lag. Ich brauchte bloß kurz an *Stadt Frankfurt* zu denken, um zu finden, daß das Zimmer himmlisch war. Jan wollte wissen, ob wir noch irgendwo essen sollten. Ich fühlte mich jetzt endgültig geschlaucht, und das war kein Wunder nach dem, was ich hinter mir hatte. Ich sagte, ich hätte keinen Hunger, und bei der Hitze bekäme einem sowieso nichts. Das war kein besonders überzeugendes Argument, aber Jan tat, als wäre das auch seine Meinung. Er wünschte mir eine gute Nacht, und zuletzt tat er was ganz Ungeheures. Er küßte mir die Hand. Ich hatte so was noch nicht erlebt. Ich kannte das höchstens aus Filmen mit russischen Großfürsten im neunzehnten Jahrhundert, *Krieg und Frieden* zum Beispiel. Jan küßte mir die Hand und tat, als wäre das die selbstverständlichste Sache von der Welt. Das warf mich glatt um!

21

Ich schlief in dieser Nacht wie ein Zementsack und träumte furchtbare Dinge. Als ich aufwachte, hatte ich sie alle vergessen bis auf die Tatsache, daß sie furchtbar gewesen waren. Ich sah von meinem Bett aus durch das Fenster und sah, daß der Himmel wieder total ohne Wolken war. Auf meiner violetten Steppdecke lagen Sonnenflecken. Ich schloß daraus, daß mein Zimmer irgendwie nach Osten lag.

Ich war gerade dabei, mich mit kaltem Wasser abzuwaschen, als es an der Tür klopfte, und als ich Ja sagte, hörte ich Jans Stimme mit den Oma-Hela-Akzenten. Ich muß sagen, daß mir das gleich enorme Laune machte. Ich dachte an Jarosław. Jan fragte, ob er hereinkommen dürfte. Ich fand, wir kannten uns noch nicht lange genug, daß er mich einfach schon ohne was sehen sollte. Ich sagte ihm, er sollte warten, und das tat er auch.

Als ich schließlich aus dem Zimmer ging, wünschte er mir einen guten Morgen, und dabei küßte er mir wieder die Hand. Ich hatte total vergessen, daß er das konnte, und erschrak wieder maßlos. Ich sagte ihm, er solle das mit den Handküssen lieber lassen, wenn er nicht riskieren wollte, daß ich plötzlich ohnmächtig umfalle. Er nickte und sagte Ja. Ich weiß nicht, ob er beleidigt war. Er hatte an diesem Tag ein unheimlich verschlossenes Gesicht. Ich denke, er war nicht beleidigt, denn ich zog sofort mein hinreißendstes Lachen auf, mit dem ich im allgemeinen einen sehr guten Eindruck mache.

Wir trugen unser Gepäck nach unten und bezahlten unsere Rechnung. Das heißt, Jan bezahlte für uns beide. Ich war erst mal absolut dagegen, aber ich hatte keine Złotych; Jan hatte, und die Wirtin bestand auf Złotych. Außerdem waren die Zimmer billig. Wir gingen dann mit unserem Gepäck wieder ins Zentrum von Słubice. Wir gingen in die Kneipe, in der Jan gestern seinen Rucksack abgestellt hatte, und das war eigentlich keine Kneipe, sondern eher ein Café. Ein schlechtrasierter Mann saß an einem Tisch, trank Tee und las in einer Zeitung. Sonst war das

Café leer. Jan ließ sich zwei Gläser Milch und zwei Käseschrippen geben. Ich hätte vorher nicht sagen können, was ich hätte essen mögen. Ich habe prinzipiell morgens auf überhaupt nichts Appetit. Als es aber dann vor mir stand, fand ich, daß Milch und Käseschrippen genau das richtige waren. Ich kann nur wiederholen, daß Jan enorm vernünftig war. Ich hatte mir genau den richtigen Typ für Jarosław ausgesucht.

Wir aßen und waren ungeheuer schweigsam. Hinterher holte uns Jan je ein Glas Kaffee, der phantastisch stark und gut war. Ich sagte wohl schon, daß er an diesem Morgen ein ungeheuer verschlossenes Gesicht hatte, und wenn ich ihn mir genau ansah, erkannte ich, daß es eigentlich nicht so sehr verschlossen war als vielmehr trübselig. Ich präparierte mich auf irgendwas Unpassendes und wartete darauf, daß Jan den Mund aufmachte.

Er fing erst mal an zu erzählen, daß er Student wäre, und zwar studierte er Architektur. Ich konnte nicht einsehen, wieso jemand unbedingt trübselig sein müßte, wenn er Architektur studierte. Jan erzählte, daß er eine Arbeit in Baugeschichte schreiben müßte. Die Arbeit hatte mit Backsteingotik zu tun, vor allem Kirchen. Es gebe eine Menge Backsteingotik in Polen, sagte Jan, aber es gebe ungefähr genausoviel Backsteingotik westlich der Oder, und eigentlich sei er unterwegs, um die Backsteingotik dort zu besuchen. Er zeigte mir seinen Fotoapparat und sagte, er wolle Aufnahmen machen. Er sagte, er wäre gestern in Frankfurt gewesen, um sich die Verkehrsverbindungen auszusuchen, und eigentlich hätte er heute aufbrechen wollen.

Ich ahnte explosionsartig, worauf das Ganze hinauslief.

Ich sagte: Soll das heißen, daß Sie nicht mit nach Jarosław kommen?

Er sagte: Ich kann es mir nicht leisten.

Ich will heute losfahren, sagte ich. Spätestens morgen will ich mit Ihnen in Jarosław sein.

Ich hätte Ihnen das alles gestern erzählen müssen, sagte er, aber ich habe es nicht fertiggebracht.

Ich sagte: Ihre Backsteingotik steht seit fünfhundert oder fünftausend Jahren, da kommt es auf zwei Wochen nicht an.

Bei meiner Arbeit, sagte er, kommt es genau auf die zwei Wochen an.

Das ist endgültig?

Ja.

Mann, das war ein Ei! Ich sagte eine Weile überhaupt nichts, sondern trank erst mal meinen Kaffee, und weil ich den Kopf voll hatte mit Jarosław, trank ich ihn zu hastig und verbrühte mir die Zunge.

Jan sagte schließlich: Wissen Sie, Jarosław ist nicht besonders. Es gibt viel schönere Städte.

Ich will nicht nach Jarosław, weil es besonders oder schön ist, sagte ich. Ich will nach Jarosław, weil ich nach Jarosław will.

Ich habe einen guten Freund in Krakau. Ich gebe Ihnen einen Brief mit. Krakau liegt nicht weit von Jarosław. Er wird Sie bestimmt begleiten.

Ihr Freund, sagte ich, interessiert mich überhaupt nicht.

Er ist sehr nett, sagte Jan.

Mich interessieren Ihre nettesten Freunde nicht.

Was wäre denn gewesen, wenn Sie mich nicht getroffen hätten?

Die Frage ist unsinnig, sagte ich, denn ich habe Sie getroffen.

Es tut mir alles leid, sagte er.

Es tut Ihnen überhaupt nichts leid, sagte ich, Sie wollen mich bloß loswerden, und das könnten Sie mir eigentlich ruhig sagen.

Nein, sagte er. Es wäre fürchterlich, wenn Sie diesen Eindruck hätten. Ich meine, sagte er, wenn wir zum Beispiel die Backsteingotik besuchen könnten, würde ich mich sehr freuen.

Dabei blickte er mich mit seinen mittelblauen Augen an, wie es bestimmte größere Hunde tun, bloß daß Hunde eben keine mittelblauen Augen haben. Zum Beweis, wie ernst er es meinte, zog er eine Landkarte aus seinem Rucksack und legte sie auf den Tisch. Auf der Landkarte war mit Rotstift eine Linie eingetragen. Die Linie fing bei Frankfurt an, ging über Rostock und endete bei Tangermünde. Es gibt ungefähr keine größere Entfernung als die zwischen Tangermünde und Jarosław.

Ist das die Route, sagte ich, die Sie vorhaben?

Ja.

Wenn ich Ihnen jetzt sage, ich komme mit Ihnen zu Ihrer verdammten Backsteingotik, versprechen Sie mir dann, daß Sie hinterher sofort mit mir nach Jarosław fahren?

Die Frage war ein Test. Es konnte immer noch sein, daß er mich loswerden wollte, und dann sollte er es haben. Es ist für mich beinahe nichts ekelhafter, als jemandem hinterherzulaufen. Ich meine, ich hatte nicht den Eindruck, daß er mich loswerden wollte. In seinem Gesicht sprach jedenfalls nichts dafür, und sein Gesicht war ungeheuer ehrlich; es konnte höchstens sein, daß ehrliche Gesichter in Polen irgendwie anders sind als bei uns, was ich nicht wußte.

Er nickte und sagte: Gut.

Sie versprechen?

Ja.

Hundertprozentig?

Ja.

Ich war zufrieden. Es war nicht das, was ich mir ursprünglich erhofft hatte, aber es war eine Lösung. Manchmal lassen sich solche Lösungen nicht vermeiden. Mir war jedenfalls inzwischen klar, daß ich nicht nur nach Jarosław wollte, sondern daß ich mit Jan nach Jarosław wollte. Wenn ich mir etwas vorgenommen habe, zum Beispiel E-O-Es, setze ich das entweder durch, oder es gibt eine Katastrophe.

22

Ich ging mal wieder über die Grenze. Diesmal fand ich es angebracht, zweimal in die Oder zu spucken. Jan sah mir ungeheuer interessiert dabei zu. Ich hatte keinen Grund, ihm eine Erklärung zu geben. Nach dem, was er mir zugemutet hatte, war es nur gerecht, daß er sich auch mal überraschen ließ.

Frankfurt hat eine gotische Backsteinkirche. Sie heißt nach Maria und ist ziemlich zerstört, aber Jan hatte sie auf seiner Liste, und also gingen wir dorthin. Jan streunte zweimal um die Kirche herum und machte ein Halbdutzend Aufnahmen; dann zog er Papier und Stift und zeichnete eine Skizze von dem Grundriß. Er bot sich an, mir alles zu sagen und zu erklären, aber fürs erste reichte mir, was ich sowieso von Backsteingotik wußte; außerdem löste das Wort Backsteingotik an diesem Tag bei mir leichten Brechreiz aus. Ich saß abseits und bewachte unser Gepäck. Die Sonne war wieder ungeheuer. Mir wurde ziemlich heiß, und da ich ungefähr anderthalb Stunden so saß, kamen mir verschiedene brauchbare Ideen.

Wir gingen anschließend in eine kleine Kneipe, wo es Apfelsaft und kaltes Räucherfleisch mit Senf gab. Nach dem roten Strich auf Jans Karte mußten wir anschließend von Frankfurt nach Berlin fahren. Ich hatte an diesem Tag eine ausgesprochene Abneigung gegen Berlin. Geographie ist Schulfach, und in Geographie war ich beispielsweise absolute Spitze. Ich hatte eine Menge dafür getan und wußte jetzt noch eine Menge. Ich sagte Jan, mich ginge es eigentlich nichts an und im Prinzip könnte es mir nur recht sein, wenn er seine Backsteingotik so schnell wie möglich hinter sich brächte, damit wir nach Jarosław kämen. Es wäre trotzdem unfair, wenn ich ihm verschwiege, sagte ich, daß es noch Backsteingotik bei uns gebe, die er nicht auf seiner Route hätte; sie wäre nicht so bekannt, aber vielleicht wäre das gerade besonders interessant für eine Arbeit, wie er sie vorhatte. Jan bekam ungeheuer gierige Ohren. Ich nannte Prenzlau, Pasewalk und Anklam. Jan zog sofort seine Karte und suchte nach den Namen. Er sagte, wenn es mir nichts ausmache, würde er tatsächlich gern dorthin fahren. Ich sagte ja. Jan sagte, er sei enorm dankbar, daß ich mit ihm führe, einfach weil ihm sonst zuviel entgehen würde. Ich fand nett, daß er das sagte. Ich genoß es. Mir machte es nichts aus, daß meine Vorschläge reine Heuchelei waren. Ich hatte ihm lauter Städte genannt, die nahe an der polnischen Grenze lagen, und darauf kam es mir an. Ich wollte möglichst schnell nach Jarosław.

Ich war auch sonst an diesem Mittag ziemlich gut. Als Jan bekanntgab, er würde seine Route nach meinen Vorschlägen erweitern, fragte ich ihn, wieviel Geld er hatte. Er nannte mir eine Złoty-Summe, mit der ich nichts anfangen konnte. Ich ließ sie mir in Mark umrechnen, und das ergab dreihundert, und mit meinem Geld zusammen hatten wir vierhundert. Ich sagte Jan, wenn wir anschließend nach Jarosław wollten, könnten wir keine großen Sprünge machen, und beispielsweise wäre es praktisch, wenn wir das Geld für Eisenbahnfahrten sparten. Er sah das sofort ein. Ich stellte mir vor, als Anhalter zu fahren könnte ungeheuer mühselig sein. Irgendwann würde Jan sauer werden, und das wäre dann genau der richtige Zeitpunkt, daß ich ihn ohne große Mühe zu Jarosław überreden würde. Manchmal bin ich ein Aas.

23

Wir fuhren mit der Straßenbahn bis Kliestow und stellten uns an der Landstraße auf. Wir standen und winkten, wenn ein Wagen näher kam, aber insgesamt sahen wir bloß zwei Wagen, und die fuhren, ohne anzuhalten, vorbei. Es war eine absolut tote Zeit. Wir standen in der Sonne und kauten trockenen Dreck. Weil überhaupt nichts passierte, fragte Jan, ob es nicht richtiger wäre, wenn wir ein Stück zu Fuß gingen. Ich fand das vernünftig. Wenn ich schon schwitzen muß, will ich wenigstens das Gefühl haben, daß ich es mir mit irgendwas verdiene.

Wir gingen zirka eine Viertelstunde. Wir redeten ein bißchen, aber unsere Gespräche waren fast genauso trostlos wie der ganze Mittag, und außerdem gab es einen Haufen Mücken. Mir machten sie nichts aus, aber Jan gehörte offenbar zu den Leuten, auf die sich alle möglichen Blutsauger geradezu mit Besessenheit stürzen. Mir paßte das ausgezeichnet. Ich wollte, daß er möglichst schnell sauer wurde und zurück wollte nach Polen und damit nach Jarosław. Andererseits schien ihm das Gehen selber nicht viel auszumachen, und so sagte ich: Ganz schön heiß, wie?

Er nickte und sagte: O ja.

Trotzdem, sagte ich, es ist Klasse. Kein Mensch zu Fuß unterwegs außer uns. Sitzen alle bloß höchstens in ihren Blechkästen und machen Umweltverschmutzung. Kein Mensch weiß, wo wir sind, und sucht uns hier. Und Bäume. Und Sonne.

Und Insekten, sagte Jan.

Insekten sind was Natürliches, sagte ich. Lästig, aber ehrlich. Ich könnte ohne Insekten leben.

Von Insekten leben Vögel, zum Beispiel Finken. Vögel sind bunt und singen und sind überhaupt –

Ungeheuer, sagte Jan.

Eher *cool,* sagte ich.

Was ist *cool*?

Ungefähr dasselbe wie ungeheuer, sagte ich, aber nicht ganz.

In der Nähe von Wüste-Kunersdorf winkte ich einem Lastwagen, und der Fahrer hielt an. Er hatte zuerst offenbar bloß mich gesehen, denn er wurde explosionsartig sauer, als er Jan entdeckte, und er wurde noch viel saurer, als er mitbekam, daß Jan Pole war. Er lud uns trotzdem ein. Er war ein junger Kerl in einem ziemlich verschwitzten dunkelblauen Unterhemd und sagte während der ganzen Fahrt kein Wort. Er rauchte bloß, und zwar die scheußlichsten Zigaretten von der Welt. Jan bot ihm von seinen polnischen Zigaretten an, aber der Fahrer zog ein verächtliches Gesicht und schüttelte den Kopf. Jan machte das nichts aus. Wir kamen gut voran, und Jan erzählte mir eine Menge über Backsteingotik. Der Fahrer hielt uns vermutlich für Spinner. Er hatte Bierflaschen geladen, die fürchterlichen Lärm machten.

Wir stiegen in Bad Freienwalde aus und brauchten keine zehn Minuten zu warten, bis wir wieder einen Lastwagen fanden. Es war ein polnischer Lastwagen, und der Fahrer war logischerweise Pole. Er schrie förmlich vor Überraschung, als er mitbekam, woher Jan stammte, und dann quatschten die beiden Polen die ganze Fahrt über polnisch, und ich verstand kein Wort. Ich hörte bloß manchmal das Wort Gierek heraus. Ich wußte, daß Gierek der oberste Parteimensch in Polen war. Der Fahrer zeigte sich jedenfalls ungeheuer aufgekratzt, und vermutlich hätte er uns bis nach Alaska gefahren, wenn wir ihn darum gebeten hätten. Mein Glück war, daß es in Alaska mit ziemlicher Sicherheit keine Backsteingotik gibt.

Wir stiegen in Angermünde aus und suchten uns zwei Betten. Wir kriegten sie in einer wackeligen Pension. Dort gab es einen ausgemergelten Mann, der sofort enorm mißtrauisch wurde, als er merkte, daß wir nicht verheiratet waren, und er wurde noch viel mißtrauischer, als er erfuhr, daß Jan Pole war. Er schloß eigenhändig die Verbindungstür zwischen zwei Zimmern ab, und wahrscheinlich lag er die ganze Nacht über auf dem Korridor, um aufzupassen, daß keiner von uns das Zimmer wechselte. Ich hoffe nur, er hat sich phantastisch dabei verausgabt. Ich schlief nicht so gut wie die Nacht vorher in Słubice, aber ich schlief immerhin ziemlich gut. Über meinem Bett hing übrigens ein Blumenstilleben, und der Teppich stank nach Mottenpulver.

24

Am nächsten Morgen fanden wir einen Trabant-Kombi, der uns mitnahm. Am Steuer saß ein grauhaariger Mann in einem dunkelblauen Monteurkittel. Er war ziemlich umgänglich und erzählte uns, daß er Fernsehmonteur wäre. Er erkundigte sich, wo wir hinwollten. Ich log, wir wollten an die Küste und Ferien machen. Der Mann merkte, daß Jan Pole war, und er fing an, von den polnischen Landstraßen zu schwärmen, die so phantastisch in Ordnung wären und auf denen es Spaß machte, mit dem Auto zu fahren. Wie gesagt, er war ziemlich umgänglich, und obwohl er eigentlich bloß nach Greiffenberg wollte, fuhr er uns weiter und brachte uns bis zur Autobahn.

Ich hatte mir von der Autobahn viel versprochen. Erstens geht sie direkt bis zur polnischen Grenze, und dort wollte ich eigentlich hin. Zweitens aber ist auf Autobahnen erfahrungsgemäß viel Verkehr, und damit stieg, dachte ich, die Chance, daß wir jemanden fanden, der uns mitnahm. Was das zweite betrifft, so soll sich jeder, der als Anhalter fahren will, lieber sonstwo aufstellen, bloß nicht an der Autobahn. Die Leute hinterm Steuer haben dunkelrote Gesichter und wollen offenbar beweisen, wieviel gottverdammte Stundenkilometer ihre blödsinnige Karre hergibt. Wir konnten eine ganze Reihe von riskanten Überholmanövern und Wettfahrten bewundern, und ich kann nur hoffen, daß diese Typen hinterher mit ausgeglühten Kolben im Graben lagen.

Es war wieder ein heißer Tag. Wir befanden uns mitten in einem einzigen ungeheuren Schön-Wetter-Gebiet. Wir standen an der beschissenen Auffahrt Pfingstberg und versuchten alles mögliche. Wir winkten mal zusammen, dann winkte Jan allein. Es passierte überhaupt nichts. Danach stellte ich mich an den Rand, und wir gingen so weit, daß sich Jan regelrecht versteckte. Erfahrungsgemäß denkt dann so ein alter Knacker: ne Mieze solo; er zieht Fäden und latscht ganz automatisch auf die Bremse. Ich sah zirka acht, neun Wagen mit eindeutig einzelnen männlichen Fahrern, aber keiner verlangsamte auch bloß das Tempo. Irgendwie war es ein harter Schlag für mich. Ich war bis dahin der festen Meinung, daß ich eigentlich unübersehbar bin. Ich wollte schon zurückgehen zu Jan, um mit ihm das Problem zu besprechen, das ja für mich nicht nur ein Transportproblem war, sondern mit meiner Selbstachtung zu tun hatte.

Da fuhr ein mausgrauer Wolga vorbei. Wir hatten ihn nicht beachtet. Wolgas sind meistens Dienstwagen, und meistens sind sie sowieso besetzt, aber auch wenn sie nicht besetzt sind, nehmen sie keine Anhalter mit, weil sie Dienstwagen sind. Wir hatten auch gar nicht gewinkt, und der Wolga fuhr also vorbei, aber plötzlich hörten wir Bremsen quietschen und sahen, wie der Wolga hielt. Es war ziemlich phantastisch. Der Wolga setzte sogar noch ein Stück zurück, und damit war endgültig klar, daß er unseretwegen gehalten hatte. Wir griffen nach unserem Gepäck. Bei dem Wolga öffnete sich eine Tür. Wir fingen an, mit unserem Gepäck auf den Wolga zuzugehen. Die geöffnete Tür ließ einen Menschen heraus, und der Mensch war weiblich. Ich sah zuerst bloß eine buntgeblümte Bluse. Sie kam mir bekannt vor, aber das will bei dem Angebot von Ha-O und Exquisit nicht viel heißen. Die geblümte Bluse lief uns auf hohen Absätzen entgegen und schrie dabei: Brigitte! Was machst du hier!

Ich blieb stehen und setzte mein Gepäck wieder ab. Die Bluse war meine Greisin.

Jan tat noch einen Schritt, und als er merkte, daß ich nicht weiterging, blieb er ebenfalls stehen. Die Greisin war inzwischen heran, atmete durch und sagte: Brigitte, ich bin erschlagen.

Du schwitzt ziemlich, sagte ich, das kommt sicher vom Laufen, aber erschlagen wirkst du eigentlich nicht.

Wie kommst du hierher, fragte die Greisin.

Wie kommst du hierher, fragte ich.

Mit dem Wagen, sagte die Greisin, ich fahre zu einer Tagung.

Ich fahre zu keiner Tagung, sagte ich, denn mir fiel keine bessere Antwort ein.

Du hast immer noch dein unverschämtes Mundwerk, sagte die Greisin bissig, worauf ich ihr sagen mußte: Ich bin deine Tochter.

Die Greisin musterte mich. Ich musterte die Greisin. Die Sonne flimmerte auf der Autobahn. Die Greisin entdeckte Jan, und ich kam nicht umhin, die beiden bekannt zu machen. Jan küßte der Greisin die Hand, was sie sichtlich erschütterte.

Ich nehme an, sagte die Greisin, daß du mitfahren willst. Gut. Ich nehme dich mit. Wir fahren zu der Tagung, du kannst in meinem Hotelzimmer schlafen, du wäschst dich, du schläfst dich aus, und in drei Tagen fahren wir nach Hause.

Ich sagte: Nee.

Du willst nicht?

Nee.

Im Gesicht der Greisin ging eine Menge vor, aber erst mal suchte sie nach einem neuen Anlauf. Sie nahm Jan ins Visier. Jan betrachtete mit ungeheurem Interesse die Bepflanzung am Rand der Autobahn. Die Greisin sagte: Reden Sie ihr zu, junger Mann.

Jan zog seinen Blick von zwei Krüppelkiefern ab und sagte etwas, das ich nie vergessen werde, nämlich: Ich fürchte, es hat keinen Zweck, wenn *ich* rede, gnädige Frau.

Das *gnädige Frau* war natürlich umwerfend.

Die Greisin nahm diese Niederlage glatt hin. Sie ging zum nächsten Kilometerstein und setzte sich. Dann fing sie ganz vorsichtig an: Gittie, hör mir zu. Im Grunde bin ich heilfroh, daß ich dich hier treffe. Ich bin deine Mutter. Ich habe dich geboren. Ich habe dich aufgezogen und versorgt. Wir haben dir deine Freiheit gelassen. Du hast keine Ahnung, was es für uns bedeutet hat, daß du fortgelaufen bist. Ich hänge an dir, Gittie. Dein Vater hängt an dir. Komm wieder nach Hause, und wir werden in Ruhe über alles reden.

Irgendwie setzte mir das zu. Aber ich biß die Zähne zusammen und sagte: Das ist alles Blödsinn. Ihr habt euch immer bloß einen Dreck um mich gekümmert. Ich war euch ungefähr so viel wert wie eure Karriere, eure Autos und eure Datsche. Der einzige

Mensch, der sich wirklich um mich gekümmert hat, war Oma Hela, und da will ich jetzt hin.

Oma ist tot.

Leider.

Ich weiß nicht, ob sie begriff, was ich vorhatte. Möglicherweise dachte sie was völlig Falsches. Jedenfalls fragte sie nicht, sondern sah mich an. Sie tat das, als sähe sie mich zum erstenmal. Dann sagte sie, immer mit dem Blick auf mir: Schön. Vielleicht denken wir wirklich zuviel ans Materielle, Vater und ich. Es war eine armselige Zeit, wo wir so alt waren wie du.

Ich sagte: Dafür kann ich nichts.

Du solltest wenigstens darüber nachdenken.

Es interessiert mich nicht.

Du solltest es trotzdem kennen, sagte die Greisin und ereiferte sich beinahe. Ich meine, Vergangenheit ist doch auch irgendwie wichtig.

Vergangenheit, sagte ich und hätte beinahe ausgespuckt, denn danach war mir innerlich zumute.

Komm mit, sagte die Greisin, wir werden über alles reden, auch darüber.

Ich sagte: Nimmst du Jan auch mit?

Ich fahre mit dem Dienstwagen, sagte die Greisin. Wir haben nur noch einen Platz.

Ich setze mich auf seinen Schoß.

Das ist gegen die Vorschrift.

Ich pfeif auf die Vorschrift.

Es geht nicht. Der Fahrer wird protestieren.

Dann laß den Wagen fahren. Wir nehmen die Bahn.

Ich muß zu meiner Tagung.

Sag ihnen eine Entschuldigung.

Ich halte das Hauptreferat.

Hält's ein anderer oder gar keiner. Was kommt schon bei so was raus?

In diesem Augenblick wurde gehupt. Vermutlich dauerte es dem Fahrer zu lange. Soviel ich weiß, dürfen Wagen auf der Autobahn überhaupt nicht halten, und der Fahrer hatte völlig recht.

Bitte, Gittie, sagte die Greisin, und trotz des *bitte* klang das wie eine Drohung.

Ich fahre mit Jan zusammen, sagte ich, oder überhaupt nicht.

Der Fahrer hupte wieder. Die Greisin erhob sich von ihrem Kilometerstein und sah plötzlich aus, als hätte sie eine Saufnacht hinter sich. Sie sagte: Es gibt Dinge, bei denen man draufzahlt. Das ist eklig, aber man stirbt nicht darüber.

Na prima, sagte ich, daß du es so siehst.

Die Greisin sah noch einmal Jan an. Jan hielt ihren Blick mühelos aus und hob bedauernd die Schultern. Die Greisin verfärbte sich etwas, und zwar ins Blasse. Sie hatte vermutlich ein paar Antworten parat, aber sie brachte keine heraus. Sie drehte sich ziemlich langsam auf ihren hohen Absätzen um und bewegte sich auf den Wolga zu. Ich hatte in diesen letzten Minuten eine Menge begriffen. Ich war ein Ding, bei dem einer draufzahlt. Ich war die Tochter von einer Mutter, die Ingenieur für Kältetechnik war. Ich war die Enkeltochter von Oma Hela, die aus Jarosław kam. In Jarosław wird keine Kältetechnik gemacht, sondern Bigos. Ich hörte, wie die Tür von dem Wolga ins Schloß schlug. Jan legte mir den Arm um die Schultern, wie das bestimmte Mütter mit ihren heulenden Kindern tun. Der Wolga ließ den Motor an und fuhr weiter. Jan nahm den Arm wieder von meinen Schultern und steckte sich ungeheuer umständlich eine Zigarette an.

Zehn Minuten später hielt ein dunkelblauer Barkas. Er lud uns ein und fuhr uns bis nach Prenzlau.

25

Gotische Backsteinkirchen heißen fast immer nach Maria. Ich vermute, Maria ist die Erfinderin der Backsteingotik. Prenzlau hat außer seiner Marienkirche noch irgendwelche Stadtbefestigungen und so was. Jan war wieder zirka zwei Stunden beschäftigt, während ich in einem Ratskeller saß, wo es ungeheuer kühl war und wo ich gigantische Mengen von Johannisbeersaft trank. Am Nebentisch saß ein junger Kerl und machte mir Plüschaugen. Nach einer Weile quatschte er mich an und redete sächsisch. Ich erfuhr, daß er Medizinmann war und gerade mit seinem Examen fertig, und deswegen hatte er von seinem Greis, der auch Medizinmann war, einen Škoda gekriegt, den er gerade einfuhr. Ich fragte ihn, ob er mich nach Pasewalk fahren könnte. Der Medizinmann war begeistert. Ich trank noch zwei, drei Gläser Johannisbeersaft, um einen Grund zu haben, daß ich sitzen blieb; dabei redete ich mit dem sächsischen Medizinmann über Beatgruppen in Berlin und Dresden, worüber er mehr Bescheid wußte als ich. Schließlich trat Jan auf. Ich konnte meine Johannisbeerorgie beenden. Der Medizinmann wurde ziemlich gelb, als er Jan erblickte, von dem ich kein Wort gesagt hatte. Er fuhr uns in seinem Škoda bis nach Pasewalk. Während der Fahrt taute er wieder auf und redete eine Menge angeberisches Zeug.
Pasewalk sieht nicht viel anders aus als Prenzlau. Ich setzte mich diesmal auf eine Bank und bewachte unser Gepäck. Jan war bloß eine Stunde unterwegs, und als er wiederkam, wirkte er irgendwie sauer. Vielleicht war er bloß müde, oder er war unzufrieden mit seiner Ausbeute. Vielleicht fing er an zu merken, daß es bloß ein Trick von mir war, wenn ich ihn durch alle diese Kaffs jagte. Er sagte kein Wort. Ich fragte ihn auch nicht. Wir gingen zu einer Tankstelle, und ich quatschte zirka sieben, acht Fahrer an. Ein dicker Fleischermeister nahm uns in seinem Wartburg bis nach Anklam mit.
In Anklam war Jan ungefähr eine Dreiviertelstunde beschäftigt. Es trat ein, was ich mir ausgerechnet hatte und was jetzt auch Jan

zu merken schien, daß nämlich gotische Backsteinkirchen bei allen Unterschieden eine Menge Gemeinsames haben: sie sind gotisch, sie sind Backstein, und sie sind Kirchen. Von Anklam geht eine Fernverkehrsstraße nach Greifswald und weiter nach Stralsund. Das war ungefähr die Richtung, in die Jan wollte. Anklam liegt ein ganzes Stück von der polnischen Grenze entfernt. Viel weiter als beispielsweise Angermünde. Von Anklam geht in der anderen Richtung eine Straße über Usedom bis nach Świnoujście. Usedom heißt auf polnisch Uznam. Świnoujście liegt kurz hinter der Grenze in Polen. Ich wußte nicht, wie ich Jan zu einer Fahrt nach Świnoujście kriegen sollte, aber ich hatte überhaupt keine Lust, beispielsweise nach Greifswald oder Stralsund zu fahren. Mir erschien Wolgast eine vernünftige Lösung. Ich hatte keine Ahnung, ob es in Wolgast Backsteingotik gab. Ich nahm es immerhin an. In solchen alten Kaffs gab es immer eine Kirche, und in dieser Gegend waren alle Kirchen irgendwie Backstein. Ich sagte Jan, wir würden nach Wolgast fahren.

Es war inzwischen Nachmittag. Wir gingen durch ein paar Straßen von Anklam. Auf einem Platz stand ein leerer Omnibus mit der Aufschrift *Sonderfahrt;* bloß der Fahrer saß auf seinem Sitz, hatte eine *Wochenpost* auf den Knien, rauchte eine Zigarette und las und döste. Ich steckte meinen Kopf in die Tür und fragte den Mann hinterm Steuer, ob er zufällig nach Wolgast führe. Der Mann war offenbar ganz froh über die Störung. Er sagte: Nein, meine Tochter, ich fahre nach Koserow! Das war eine echt blödsinnige Antwort, weil die Straße nach Koserow im allgemeinen über Wolgast geht. Ich verhandelte eine Viertelstunde mit dem Mann. Er zeigte sich als einer von den Witzbolden, an deren Witze man sich nur ungeheuer schwer gewöhnen kann. Er sagte schließlich, er würde uns mitnehmen und der Bus würde in einer Dreiviertelstunde starten.

Ich ging mit Jan ein Eis essen. Das Eis schmeckte nach künstlichen Himbeeren, wenn es so was wie künstliche Himbeeren überhaupt gibt. Ich fragte Jan, der immer noch enorm sauer wirkte, ob ihm die Reise Spaß machte. Er nickte und sagte: Sicher, und es war ihm anzumerken, wie er log. Ich sagte ihm, wenn ihm was nicht paßte, solle er es sagen, und wir würden es ändern. Er sagte, nein, es sei alles in Ordnung, und sein Gesicht wurde dabei noch saurer. Ich nahm mir vor, ihn aufzumuntern. Ich kann saure Typen nicht leiden. Außerdem war es inzwischen so weit, daß ich selber an der Reise ungeheuren Spaß fand. Ich wollte nicht, daß sie platzte. Ich wollte nicht, daß Jan plötzlich absprang. Lieber würde ich dann doch nach Rostock und Tangermünde fahren, obwohl mich überhaupt nichts nach Rostock und Tangermünde zog, denn ich wollte nach Jarosław. Ich kannte Jan erst seit zwei Tagen. Die Vorstellung, daß wir vielleicht auseinander laufen könnten, war mir trotzdem verdammt unangenehm.

26

Der Bus transportierte irgendeine Gruppe von Natur- und Heimatfreunden, die sich in irgendwelchen Museen herumtrieben. Die Leute trugen vorwiegend grüne Hüte mit winzigen Vogelfedern, trotz der Hitze. Zwischen Karlsburg und Zarnekow fingen sie an zu singen. Sie sangen *Das Wandern ist des Müllers Lust* und *Mädel ade*. Dabei war es so, daß sie nicht wanderten, sondern in einem Omnibus fuhren, und auch das Mädel, dem sie hätten ade sagen können, blieb unsichtbar. Auf mich wirken Erwachsene, die plötzlich grundlos singen, immer irgendwie deprimierend. Ich weiß nicht, woran das liegt. Zum Glück ging den Natur- und Heimatfreunden bald der Vorrat aus, und sie fingen wieder an, in ihren gedruckten Natur- und Heimat-Prospekten zu blättern.

Der Bus fuhr eine knappe Stunde bis Pritzier, und bald darauf sahen wir zum erstenmal die See. Es war zwar bloß die Peene, von der jeder weiß, daß sie einer von drei Mündungsarmen der Oder ist und also überhaupt keine richtige See; aber das Wasser wirkte so ungeheuer seeartig, daß ich mich gleich ganz phantastisch fühlte. Ich muß dazu sagen, daß ich gewissermaßen ein erotisches Verhältnis zum Wasser habe. Der Anblick von Seestränden macht mich wehrlos. Ich werde nie begreifen, wieso Leute nach Tabak und Schnaps süchtig werden können. Ich bin nach Wasser süchtig. Irgendwie ist die See für mich das Höchste.

Der Bus fuhr nach Wolgast hinein. Ich verrenkte mir den Kopf nach Backsteingotik, aber ich sah keine. Ich beobachtete Jan. Er blickte düster aus dem Fenster. Der Bus quälte sich durch die Menge enger Straßen und kam schließlich an den Hafen. Wolgast hat einen ziemlich kümmerlichen Hafen. An diesem Nachmittag gab es dort einen weißen Küstendampfer und fünf Fischkutter. Es existieren viel imposantere Häfen. Rostock zum Beispiel, wo Jan ja hinwollte, aber ich wollte nicht. Mir persönlich geht es mit Häfen wie mit Seestränden, was ganz natürlich ist, weil Häfen nichts anderes als ausgebaute Seestrände sind. Ich meine, Größe ist da erst mal zweitrangig. Ich sagte schon, daß ich ein erotisches Verhältnis zur See habe.

Der Bus rollte über den Hafenvorplatz, und dann rollte er langsam über die Peenebrücke. Ich sah deutlich, wie sich Jans Gesicht verfinsterte. Der Bus rollte auf die Insel Usedom, und hinter Bannemin hielt er an, damit wir aussteigen konnten. Ich sagte dem Fahrer noch, er sei mit Abstand der beste Busfahrer, den ich je erlebt hätte, und dann standen wir mit unserem Gepäck auf der Straße.

Jan sagte: Wo sind wir hier?

Ich sagte: Wir sind auf der Insel Usedom.

Jan sagte: Wollten wir nicht nach Wolgast?

Ja, sagte ich, aber der Fahrer hat nicht angehalten.

Er sollte überhaupt nicht anhalten, sagte Jan.

Ich habe mir in Anklam den Mund fusselig geredet, aber es war nichts zu machen, sagte ich; und das war eine glatte Lüge.

Der Fahrer hätte überall gehalten, sagte Jan; was die reine Wahrheit war.

Also gut, sagte ich. Wir haben nicht in Wolgast gehalten, weil ich nicht in Wolgast sein wollte. Wolgast liegt fünf Kilometer von hier, und wir können jederzeit zu Fuß hingehen. Aber zwei Kilometer von hier liegt die See, und nach zwei Tagen Backsteingotik bin ich total verrückt nach Wasser.

Damit nahm ich mein Gepäck und ging von der Straße fort. Als ich mich nach einer Weile umdrehte, sah ich, daß Jan hinter mir herkam.

Wir latschten durch den Forst in Richtung Trassenheide. Wir waren schon ziemlich nahe an der Küste, aber trotz der nahen Küste war die Luft ganz gottverdammt heiß. Außerdem gab es wieder ungeheure Mengen Insekten, die es auf Jan abgesehen hatten. Mir lief der Sand in die Clarks, und zwischen den Kiefern stank es nach Campingplatz. Ich meine diesen gräßlichen Geruch von Erbsensuppe und Pipi, der immer über Campingplätzen hängt und mir persönlich das Leben dort vollkommen zur Schinderei machen würde. Wir sahen auch bald das blöde Orange und Blau von irgendwelchen Zelten. Vor den Zelten saßen halbnackte

Leute an Klapptischen und löffelten was, vermutlich Erbsensuppe. Zwischen den Zelten standen alle Automobilmarken aus dem volkseigenen Automobilhandel. Der Anblick war wirklich gräßlich. Ich schlug einen möglichst großen Bogen. Ich kletterte die Dünen rauf und runter. Wir kamen an den Uferweg. Über der hölzernen Befestigung war ein rostiger Draht, und Strandhafer war da. Wir stapften bis zum nächsten Durchgang, und da überfiel es mich. Ich schrie zweimal, und ich rannte, so gut das ging bei dem Sand und dem Sand in den Clarks und dem Gepäck an meinen Armen, bis zum Wasser.

Es war einfach ungeheuer. Der Strand war hier enorm flach. Das Meer war beinahe ruhig, bloß bißchen gekräuselt, und manchmal schwappte es ganz träge über den Spülsaum. Es gab einen schmalen Streifen von zermahlenen Steinsplittern, zerstoßenen Muscheln und Rotalgen. Hundert Meter weit draußen lagen die Badebojen. Der Strand war an dieser Stelle völlig leer. Keine Körbe, kein Volleyballnetz, keine Iglus, nichts. Ein bißchen Blasentang schwamm auf den Wellen. Ziemlich weit draußen tuckerte ein Küstenfischerboot. Der Wind war ganz sanft und kam vom Wasser. Die Sonne stand schon dort, wo Rügen lag. Ich glaubte, ich konnte eine Insel und einen Leuchtturm sehen. Vielleicht waren das auch bloß Wolken. Vor dem Horizont hing ein hellgrauer und faseriger Dunst. Möwen flogen um uns herum und grätschten. Es waren Silbermöwen dabei. Die Luft roch feucht und kühl und ganz schwach salzig. Ich sage, es war ungeheuer.

Mann, sagte ich, was ist dagegen alle Backsteingotik der Welt! Oh, sagte Jan, Backsteingotik ist natürlich auch sehr schön. Aber er sagte es ganz friedlich. Ich sah an seinem Gesicht, daß ich ihn überzeugt hatte. Daß er so stand und hinsah, war für mich fast so aufregend wie alles andere, was es sonst zu sehen gab.

27

Wir zogen unsere Schuhe und Strümpfe aus. Wir banden die Schuhe an den Schnürbändern zusammen und hängten sie über die Schultern. Wir krempelten unsere Hosenbeine hoch und gingen am Wasser entlang nach Osten. Jan hatte mir meine Tasche abgenommen. Der Schlafsack, den ich trug, war leicht. Das Wasser floß uns manchmal bis über die Fußknöchel. In diesen Minuten könnte ich Jarosław glatt vergessen und wünschte mir, so weiter durch flaches Wasser zu gehen, bis ich krumm und faltig war und starb.

Dann kamen die ersten Häuser von Zinnowitz, und damit kam alles, was vorher nicht gewesen war: die Körbe, die Netze, die blöden Burgen und ein Haufen Bierflaschenetiketten auf dem Sand. Es ist absolut nichts dagegen einzuwenden, daß jemand auf See steht, wie zum Beispiel ich, aber warum müssen das immer gleich so viele Jemands sein? Wir kriegten ungefähr drei riesige knallrote Gummibälle vor die Füße und sahen, wie eine dicke Frau einen Säugling vor sich hielt, damit er in die See pinkeln konnte. Ich rede gar nicht von den vielen Kofferradios, in denen meistens eine Sportreportage eingestellt war. Wir gingen vom Wasser fort, und hinter der Uferbefestigung zogen wir uns bekümmert die Schuhe wieder an.

Wir gingen nach Zinnowitz hinein. Zinnowitz besteht im wesentlichen aus irgendwelchen Ef-De-Ge-Be-Heimen, zirka dreißig Straßenbäumen und einer Pony-Kutsche. Da wir fürchterlichen Hunger hatten, suchten wir eine Kneipe, die nicht ausschließlich für die drei Millionen Heiminsassen reserviert war. Wir fanden schließlich eine. Sie hieß *Schmiedehammer,* und wenn das ein Symbol dafür ist, daß man jemand mit schlechter Luft und Lärm hundertprozentig zusammenschlagen kann, war der Name gut gewählt. Wir mußten eine halbe Stunde auf zwei freie Plätze warten und noch eine halbe Stunde auf ein Schnitzel mit sogenanntem Blumenkohl. Es ist ein Wunder, daß ich alles herunterbekam und daß es auch drin blieb. Ich muß wirklich enormen Hunger gehabt haben. Vorm Hinausgehen verhandelte Jan noch mit dem Mann hinterm Tresen, und der Mann war großzügig genug, daß er Jan eine Flasche Wodka verkaufte. Wodka wird auf polnisch *wudka* ausgesprochen. Es war tatsächlich polnischer Wodka, den Jan gekauft hatte. Er hieß *Wyborowa*.

Draußen war es noch hell, aber es war eindeutig schon Abend. Wir gingen mit unserem Gepäck bis ans östliche Ende von Zinnowitz und dort wieder zum Strand. Die meisten Kofferradio-Besitzer und fast alle Frauen mit pinkelnden Säuglingen waren inzwischen verschwunden. In den Strandkörben saßen ein paar alte Leute. Wir fanden eine Holzbude, die laut Aufschrift einer Fischereigenossenschaft gehörte. Von der Bude aus gingen Drahtseile bis ans Wasser. Sie dienten offenbar dazu, daß man Kähne damit aufs Land zog. Es war kein Kahn zu sehen. Dafür standen eine Menge leerer Heringskisten herum, und überhaupt roch es hier wunderbar nach Fischen. Wir setzten uns neben die Heringskisten und sahen aufs Meer. Das Wasser war jetzt mittelgrau und hatte viele helle Punkte. Am Himmel fraßen sich Wolken vorwärts. Es gingen ein paar schweigsame Figuren den Spülsaum entlang. Wir sahen zwei Leuchttürme blinken. Aus den Heringskisten roch es nach Fischen. Alles war wieder ungeheuer friedlich.

Noch eine Stunde später waren die letzten Leute vom Wasser fort, und die Wolken waren über den ganzen Himmel gekrochen. Auf einmal wurde der Wind stärker, und das Meer, das jetzt blaugrau war, fing an zu rauschen und kriegte helle Schaumkronen. Da wir irgendwo bleiben mußten, rückten wir erst mal zwei leere Strandkörbe mit den Öffnungen gegeneinander. Wir verstauten unser Gepäck darin und rollten den Schlafsack auf. Dann pellten wir uns aus den Klamotten und sprangen ins Wasser. Das Wasser war kalt, aber es war ungeheuer. Ich schrie gleich wieder zweimal. Anschließend sprang ich wie idiotisch herum, schwamm zehn Züge und ließ mich von Wellen überrollen. Jan machte es genauso. Ich sage, es war ungeheuer, so kalt es auch war, und hinterher rannten wir noch am Strand auf und ab, um trocken und wieder warm zu werden.

Der Wind war inzwischen so stark, daß wir ziemlich schnell trocken wurden. Von Wärme konnte keine Rede sein. Hier erwies es sich wieder als ungeheuer vernünftig, daß Jan die Flasche *Wyborowa* gekauft hatte. Er schraubte sie auf, und wir nahmen jeder einen großen Zug. Wir hatten keine Lust, in unsere Klamotten zurückzusteigen, die völlig verschwitzt waren; wir banden sie, damit sie vom Wind durchgeblasen wurden, außen an die Strandkörbe. Wir krochen dann in den Schlafsack. Der Wind pfiff um das Segeltuch, mit dem die Körbe bespannt waren, und manchmal warf er Sand gegen das Geflecht, was ein ziemlich verächtliches Geräusch ergab. Wir tranken noch mal von dem *Wyborowa,* aber das Ergebnis war bloß, daß wir, statt nach sogenanntem Blumenkohl aus dem Restaurant *Schmiedehammer,* jetzt nach Schnaps aus dem Mund rochen. Ich will damit sagen, daß wir zwar ungeheuer nackt, aber auch ungeheuer verfroren in de gleichen Schlafsack steckten und darauf warteten, daß uns wärmer wurde.

Ich sagte: Jan.

Ja.

Wer von uns beiden ist kälter?

Ich schätze, du.

Nein, sagte ich, du fühlst dich entschieden kälter an.

Du *mußt* kälter sein, sagte Jan. Du bist kleiner, also hast du prozentual mehr Wärme abzugeben. Das Ganze ist ein einfaches Problem der Physik.

Ich fragte: Kennst du Hemingway?

Ja.

Magst du Hemingway?

Ich mag Różewicz.

Wer ist das?

Ein polnischer Schriftsteller.

Du wirst lachen, sagte ich, so was habe ich mir gedacht. Könnt ihr Polen eigentlich auch eine Sache mögen, die *nicht* polnisch ist?

Ich mag zum Beispiel Backsteingotik.

Bei Hemingway gibt es eine Geschichte, sagte ich, wo ein Mann und ein Mädchen sich in einem Schlafsack lieben. Seit zwei Jahren stelle ich mir vor, wie das ist. Seit heute weiß ich, wie ungeheuer *eng* das ist.

Vielleicht hatten sie einen besonderen Schlafsack.

Vielleicht hatten sie eine besondere Methode.

Nein, sagte Jan, eigentlich glaube ich nicht, daß sie die hatten.

Er kannte das Buch ziemlich gut, und eine Weile unterhielten wir uns über Hemingway. Der Wind wurde immer stärker. Das Segeltuch an den Strandkörben fing an zu knattern. Anfangs verhedderten wir uns manchmal in der Schnur von meinem Brustbeutel. Ich besaß einen Brustbeutel. Ich hatte ihn nach dem Baden wieder umgehängt, reine Gewohnheit. Später verhedderten wir uns nicht mehr. Ich hatte plötzlich die Vorstellung, das Meer würde kommen und unsere Strandkörbe forttragen, wir würden in unserem Schlafsack schwimmen, zwischen Tang, Plattfischen, Möwenfedern, Kistenbrettern, Seesternen, die Vorstellung war ungeheuer, der Schlafsack war plötzlich kein bißchen eng mehr, er war auch wunderbar warm, kein Wind, keine Wellen konnten uns irgendwas anhaben, ich sah uns in der Gegend zwischen Skandinavien und Afrika schaukeln, in den Händen eine Flasche mit *Wyborowa* und die Glieder randvoll mit Müdigkeit und Liebe.

28

Als ich erwachte, knatterte immer noch das Segeltuch unter dem Wind, aber ich wachte nicht durch das Knattern auf, sondern durch ein dunkelrotes Gesicht, aus dem sofort die unflätigsten Beschimpfungen herausfielen. Das Gesicht gehörte einem Mann in schwarzem Trainingsanzug und war unrasiert. Ich begriff soviel, daß der Mann eine Art Strandkorbwärter war. Er hatte sich offenbar damit beschäftigt, die Körbe vom Wasser fortzuziehen, weil der Seegang ziemlich stark war und die Wellen auf den Strand rollten. Er hatte dabei unsere Klamotten gesehen, die wir draußen an die Griffe gebunden hatten. So betrachtet, war der Entschluß, unsere Textilien zu lüften, ziemlich leichtsinnig gewesen. Unter den Worten, mit denen uns der Mann belegte, waren Gammler, Penner und Rowdys. Ich empfahl dem Mann ganz sachlich, sich erst mal die Zähne zu putzen. Dann zog ich unsere beiden Strandkörbe, die er auseinandergerückt hatte, wieder zusammen.

Wir hörten, wie der Mann fluchend durch den Wind davonstapfte, und wir hielten es für besser, wenn wir unser Nest hier abbrachen. Wir zogen uns an und verschnürten den Schlafsack. Das dauerte seine Zeit, und Jan wollte gerade seinen Rucksack schultern, als der Strandkorbmensch zurückkam. Diesmal war er nicht allein, sondern brachte einen Polizisten mit. Als er uns sah, fing der Strandkorbmensch sofort wieder an zu zetern, das wären wir und das müßten wir ganz bestimmt sein, endlich hätte er uns. Ich hatte keine Ahnung, wer wir sein sollten. Wir waren Jan und Gittie. Der Polizist war ziemlich schlecht gelaunt und sagte uns, wir sollten mitkommen. Der Strandkorbmensch lachte höhnisch und stapfte danach weiter, um seine doofen Strandkörbe aus dem Wasser zu ziehen. Wir gingen neben dem Polizisten her. Es war gerade acht Uhr morgens. Auf der Uferstraße waren eine Million Heiminsassen zu ihrem Frühstück unterwegs. Wir gingen an lauter aufgerissenen Augen vorbei. Seeurlaub ist eine ungeheuer gleichmäßige Angelegenheit, und die Leute reagieren auf jede Abwechslung mit riesigem Interesse.

Der Polizist brachte uns ins Revier. Es lag an einer Art Hauptstraße und in einem Haus, das zur Abwechslung kein Ef-De-Ge-Be-Heim war. Wir wurden in ein Zimmer geführt und zwei Minuten allein gelassen. An der Wand hingen eine Urkunde für gute Leistungen im Wettbewerb und ein Foto von Honecker. Als die zwei Minuten vorüber waren, kam ein anderer Polizist und setzte sich hinter einen Schreibtisch. Er hatte große Ohren und sah ungeheuer korrekt aus. Er sagte: Also, Sie haben in Strandkörben übernachtet. Die nächtliche Benutzung von Strandkörben ist untersagt. Sie sind vom Strandkorbwärter überrascht worden und haben unverschämte Antworten gegeben. Außerdem sind an verschiedenen Strandkörben mutwillige Zerstörungen vorgenommen worden.

Ich sagte: Das waren wir nicht.

So was kann jeder behaupten.

Ich behaupte es, weil es stimmt.

Aber Sie haben in Strandkörben übernachtet, und die nächtliche Benutzung von Strandkörben ist untersagt.

Das wissen wir inzwischen.

Werden Sie nicht frech, ja?

Ich bin nicht frech. Ich zerstöre keine Strandkörbe. Die erste Runde, fand ich, war mit leichten Vorteilen an mich gegangen.

Den Polizisten machte das nicht friedlicher. Er sagte: Es sind Strandkörbe zerstört worden.

Suchen Sie den, der's war.

Erteilen Sie mir keine Belehrungen, ja?

Okeh, sagte ich, wenn Sie keine hören wollen.

Es herrschte mittlerweile eine beträchtliche Spannung im Raum. Der Polizist bekam ein paar rote Flecken im Gesicht. Ich will gerne zugeben, daß ich mich, was Gereiztheit betrifft, an diesem Morgen in Hochform befand. Dem Polizisten war anzusehen, daß ihm die ganze Sache überhaupt keinen Spaß machte, und wenn man meine Antworten bedenkt, war eigentlich erstaunlich, daß er immer noch einigermaßen ruhig blieb.

Er fragte jetzt: Warum nächtigen Sie nicht in einem Hotel oder Heim?

Weil alles überfüllt ist.

Nächtigen Sie auf einem Campingplatz.

Dort ist auch alles überfüllt.

Fahren Sie ins Erzgebirge, sagte der Polizist und zog die linke Braue hoch. Dort ist es auch sehr schön.

Ich stehe nicht auf Erzgebirge. Ich stehe auf Ostsee.

Zeigen Sie mal Ihr Personaldokument.

Ich stand auf und zog den Ausweis aus meinen Levi's. Ich legte den Ausweis auf die Schreibtischplatte. Der Polizist blätterte lustlos darin herum und sagte schließlich: Sie sind Schülerin.

Nein.

Nein?

Nicht mehr.

Sie wollen studieren?

Nein.

Praktischer Beruf?

Nein.

Was denn sonst?

Ich dachte an meine verunglückten E-O-Es-Pläne, von denen der Polizist nichts wissen konnte und an denen er garantiert unschuldig war. Trotzdem sagte ich voller Wut: Am liebsten überhaupt nichts.

Es war klar, daß der Polizist meinen Ton auf sich beziehen mußte. Er blätterte immer noch in meinem Ausweis und sagte in Richtung auf mein Paßbild: Dafür rumziehen.

Klar.

Rumziehen, gammeln, Strandkörbe demolieren.

Waren wir nicht.

Aber dort genächtigt habt ihr.

Bestreitet ja keiner.

Damit ist hier Schluß.

Ziehen wir eben weiter, sagte ich. Strandkörbe gibt's auch anderswo.

An dieser Stelle verlor der Polizist die Nerven. Es war eine ungeheure Leistung, daß er sie erst jetzt verlor, wobei meine letzte Antwort, fand ich, eher eine von den schwächeren war. Jedenfalls schlug er mit der flachen Hand auf die Schreibtischplatte und schrie: Das könnte euch wohl so passen, ihr!

Und da war es, daß Jan von seinem Holzstuhl aufsprang und sehr laut sagte: Schreien Sie das Mädchen nicht an!

Für zwei, drei Sekunden war eine phantastische Stille. Es war ungefähr so, als ob jemand eine Zündschnur entzündet und alles darauf wartet, daß die Dynamitpatrone hochgeht. Aber statt einer Explosion war es so, daß der Polizist erst mal trocken Ach! sagte, und danach setzte sich Jan wieder auf seinen Holzstuhl. Die Zündschnur war damit keinesfalls ausgetreten. Der Polizist sagte nämlich grell: Sie wollen mir hier was verbieten?

Man schreit Damen nicht an, sagte Jan mit seiner sanften Stimme. Das ist ungehörig.

So, sagte der Polizist. Diesmal wollen *Sie* mich also belehren.

Jan sagte: Ein kleiner Hinweis.

Damit war die Zündschnur abgebrannt. Der Polizist brüllte: Jetzt reicht's mir aber! Endgültig! Ihren Ausweis!

Jan stand wieder von seinem Holzstuhl auf. Er zog seinen Paß und legte ihn auf den Schreibtisch. Der Ausweis war größer als meiner, und sein Deckel war dunkelgrün. Obenauf war ein goldener Adler geprägt. Der goldene Adler blickte den Polizisten an. Die Wirkung war ungeheuer. Der Polizist schlug den Ausweis auf und blätterte darin. Schließlich sagte er matt: Ach, Sie sind Pole.

Ja, sagte Jan.

Hm, sagte der Polizist und blätterte weiter. Er schluckte zweimal, und dann zeigte er etwas, das wohl ein freundliches Gesicht sein sollte, aber irgendwie ziemlich verquält gelang, und er fragte: Gefällt es Ihnen denn in Freundesland?

Jan sagte höflich: Ich lerne vieles kennen.

Ja, ja, sagte der Polizist, das ist der Sinn des Tourismus. Dann blickte er wieder in den Ausweis, in dem er garantiert kein Wort lesen konnte, aber es war wohl auch so, daß er weniger lesen als nachdenken wollte. Schließlich klappte er den Ausweis zusammen und legte ihn auf die Schreibtischplatte. Er sagte heiser: Ich geh mal telefonieren. Er stand auf und verließ das Zimmer.

Wir saßen auf unseren Holzstühlen. Auf dem Schreibtisch lagen unsere Ausweise, einer in Blau und einer in Grün. Draußen blies der Wind um das Haus und machte Lärm. Ich stand auf, ging zum Schreibtisch und nahm die Ausweise an mich.

Jan fragte: Was machst du da?

Ich sagte: Wir hauen ab.

Jan sagte: Warum? Der Mann war zuletzt ganz friedlich.

Das kann sich in zwei Minuten ändern, sagte ich, man kann nie wissen.

Daraufhin ergriff ich meine Tasche und den Schlafsack und ging damit durch die Tür. Jan blieb überhaupt nichts anderes übrig, als mir zu folgen, schließlich hatte ich seinen Ausweis, und ohne Ausweis ist der moderne Mensch bloß halb.

Wir kamen ohne Schwierigkeiten auf die Straße. Wir gingen die Straße entlang bis zum Ortsausgang. Wir hatten Glück und kriegten sofort den Linienbus Richtung Ahlbeck. Anderthalb Stunden später waren wir in Polen.

29

Der Hafen von Szczecin ist tausendmal größer als der Hafen von Wolgast. Es gibt irrsinnig viele Ladekräne, die in den Bauch der Schiffe greifen und irgendwelche Tonnen oder Kisten herausholen. Aus der Nähe besehen, sind Überseeschiffe phantastisch hoch. Das Fallreep, das oben an der Schiffsreling beginnt und auf dem Kai endet, ist eine endlos lange und ziemlich wackelige Angelegenheit, besonders wenn starker Wind ist. Brackwasser riecht vor allem nach Teer und ein bißchen nach Dreck. Aber dann auch wieder frisch, weil es trotz allem Wasser an der See ist. Die meisten Schiffe haben weiße Bäuche. Alle Schiffe haben eine Flagge. Nikaragua zum Beispiel ist ein kleines Land in Mittelamerika und hat eine blauweiße Flagge. Warum ein Frachter, der *Long John* heißt, unter der Flagge von Nikaragua fährt, kann ich nicht sagen, obwohl es dafür sicher eine Menge guter Gründe gibt. Wobei Nikaragua ein Land mit spanisch sprechender Bevölkerung ist und *Juan Longo* auch ein hübscher Schiffsname wäre.

Wir saßen an einem Kai von Szczecin und sahen zu, wie das Fallreep des Frachters *Long John* aus Nikaragua im Wind klapperte. Der Himmel war blank, und die Sonne schien wieder ungeheuer. Ich war sicher, daß sich der Wind irgendwann legen würde und vielleicht drinnen im Land schon kaum noch zu merken war. Sehr weit drinnen im Land, südöstlich, gab es eine Stadt namens Jarosław. Ich hatte nicht besonders viel Zeit, über das Wetter hier und anderswo nachzudenken. Ich hatte eine ziemlich schwere Viertelstunde zu bestehen.

Während ich mir die Ladekräne ansah, von denen manche stillhielten und manche sich bewegten, und während ein paar struppige Möwen mal auftauchten, mal wieder verschwanden, mußte ich mir anhören, wie Jan, mein polnischer Freund, den ich jetzt seit drei Tagen kannte, laut vor sich hin dachte. Ich habe schon wiederholt bemerkt, daß Jan ungeheuer vernünftig war. Was die Ereignisse an diesem Vormittag betraf, hatte seine Vernunft erstmals Mühe gehabt, Ordnung und Übersicht zu schaffen. Ich kann das Jan nicht übelnehmen, denn er war mit den Verhältnissen bei uns nicht besonders vertraut oder jedenfalls nicht so wie ich.

Jetzt aber, Blick auf *Long John* und die aufgezogene Flagge von Nikaragua, war Jan zu dem Ergebnis gekommen, daß ich ihn zwei Tage lang über eine Route gehetzt hatte, die angeblich mit Backsteingotik befaßt war, aber in Wirklichkeit bloß zur polnischen Grenze führte. Er hatte sogar den Verdacht, ich hätte den Ausbruch aus dem Volkspolizeirevier von Zinnowitz bloß gemacht, um endlich nach Polen zu kommen und damit nach Jarosław. Ausbruch war natürlich ein viel zu hartes Wort für den Vorgang, zwei Ausweise von einer Schreibtischplatte zu nehmen und danach durch zwei Türen zu gehen. Sonst hatte Jan mit allem, was er dachte und sagte, vollkommen recht. Ich war in Polen. Ich wollte nach Jarosław.

Du hast mich ziemlich getäuscht, sagte Jan finster.

Du wirst zugeben, sagte ich, daß ich es ziemlich raffiniert gemacht habe.

Ich hasse Betrug, sagte Jan. Außerdem muß ich eine Arbeit schreiben.

Wir können zurückgehen, sagte ich. Wir gehen wieder auf das Polizeirevier in Zinnowitz und stellen uns. Vielleicht sperren sie uns ein, lebenslänglich.

Unsinn, sagte Jan; aber es war ihm anzusehen, daß er eben keinesfalls zurückgehen würde. Nicht, daß er an Gefängnis und lebenslänglich glaubte. Es bestand praktisch überhaupt kein Risiko. Er wußte das so gut wie ich. Er würde trotzdem nicht zurückgehen. Er würde nicht zurückgehen, weil seine Energie für Backsteingotik erst mal verbraucht war. Keine Ahnung, warum er eigentlich nicht zurückgehen würde, aber er würde nicht. Ich entdeckte, daß im weißen Mittelstreifen der Flagge von Nikaragua ein Kreis war und in dem Kreis ein weißblaues Dreieck.

Ich sagte Jan, ich hätte Hunger. Wir gingen von dem Kai fort und suchten eine Kneipe. Wir fanden eine, die billig genug aussah. Es saßen, obwohl Sonntag war, viele Hafenarbeiter darin, die Suppe löffelten. Wir bestellten uns gebratenen Fisch. Hinter dem Tresen stand auf einem Regal ein Radio, es war eingeschaltet, und jemand spielte Klavier. Jan sagte, eher widerwillig, die Musik wäre von Chopin. Die Musik klang ziemlich traurig. Vor dem Fenster der Kneipe waren manchmal Möwen und manchmal Autos. Die Männer in der Kneipe waren ungeheuer still. Mit dem Essen besserte sich Jans Laune etwas, aber nicht viel. Die Musik aus dem Radio rieselte in mein Gehirn wie Oktoberregen. Draußen schien Sonne. Das Essen, fand ich, war ziemlich gut. Die Musik in dem Radio war total anders als die Musik, die ich meistens hörte. Ich war in Polen. Ich hätte Jan umarmen können, aber ohne dabei zu schreien, bloß so.

30

Szczecin główny bedeutet ungefähr soviel wie Stettiner Haupt-bahnhof. Es waren sämtliche Fahrkartenschalter geöffnet, und vor jedem davon standen Reihen von mindestens dreißig warten-den Leuten. Die Fahrzeit von Szczecin nach Jarosław beträgt ungefähr neun Stunden. Es gab mehrere Züge am Tag. Ich würde an diesem Abend in Jarosław sein, und zwar mit Jan, und damit hatte ich, was ich wollte.

Ich weiß nicht, ob das jemand kennt: man freut sich irrsinnig auf eine Sache, und es macht irrsinnige Mühe, die Sache zu erreichen, aber wenn die Sache schließlich greifbar wird, stellt sich so was wie Leere ein. Keine Rede mehr davon, daß man die Sache noch haben möchte. Sie wird ungeheuer gleichgültig. Ich meine damit nicht, daß ich plötzlich auf Jarosław verzichten wollte. Ich dachte nur darüber nach, daß ich an diesem Abend in Jarosław sein würde, und ich hatte nicht die geringste Ahnung, was danach passieren sollte. Kann sein, ich hatte einfach Furcht davor. Kann auch sein, mir fehlte der Widerstand, gegen den ich drei Tage lang angerannt war, was mich zu phantastischen Einfällen inspiriert hatte. Oder es war einfach bloß das Wet-ter. Neun Stunden Bahnfahrt bei diesem Wetter würden tod-sicher kein Vergnügen sein. Ich litt unter Stimmungen. Ich hasse Stimmungen, aber offenbar lassen sie sich nicht ausrot-ten.

Wir hatten ungefähr noch fünfzehn Figuren vor uns. Ich sagte: Jan, du bist entschieden zu rücksichtsvoll. Ich meine, sagte ich, es wäre doch gerecht, nachdem ich dich an der Nase herumge-führt habe, daß du mich jetzt auch ein bißchen quälst.

Jan sagte düster: Quälerei liegt mir nicht.

Jan, sagte ich, genaugenommen kenne ich von Polen rein gar nichts.

Er fragte: Willst du nicht mehr nach Jarosław?

O doch, sagte ich, aber ich denke nach über die vielen Städte, die es zwischen Szczecin und Jarosław gibt.

Ich will es hinter mir haben, sagte Jan. Ich muß meine Arbeit schreiben.

Ich sagte: Zwei Fahrkarten nach Jarosław kosten eine enorme Menge Geld.

Egal, sagte Jan.

Er hatte in diesem Augenblick das Gesicht eines Admirals, der kurz davor steht, sich selbst und seine gesamte Flotte in die Luft zu sprengen. Eine Art heroisches Selbstmördergesicht.

Poznań, sagte ich, ist vielleicht auch eine schöne Stadt. Ich meine, ich bestehe nicht auf Poznań, aber es liegt an der Strecke. Oder?

Jan sagte überhaupt nichts. Ich hatte keine Energie, weiter an ihm herumzubohren. Es gibt Augenblicke, wo man sich mit seiner Zukunft abfinden muß wie mit einem Stockschnupfen. Ich hatte zwar keine Erkältung, aber ich merkte, daß mir irgendwie schwindelig war. Ich setzte mich auf Jans Rucksack. Die Reihe vor dem Fahrkartenschalter bewegte sich jetzt ziemlich rasch. Ich verglich sie mit den Reihen vor anderen Schaltern und sah, daß die Reihe, in der Jan stand, sich tatsächlich am schnellsten bewegte. In der Reihe standen viele Leute mit braungebrannten Gesichtern und einer Menge Gepäck. Durch die Lautsprecher wurden manchmal Mitteilungen ausgerufen, die ich nicht verstand. Dem Tonfall nach waren es Mitteilungen über irgendwelche Zugverbindungen. Durch die Bahnhofshalle gingen Kinder mit Eiswaffeln in der Hand. Ich mag Eis nicht besonders. Es kann Magenschmerzen verursachen und hinterläßt einen klebrigen Geschmack im Mund. Mein Verhältnis zu Speiseeis hat etwas zu tun mit meinem Verhältnis zum Leben.

Vor Jan standen jetzt noch zwei Leute, ein Mann und eine Frau. Sie wurden ziemlich schnell abgefertigt. Vor mir auf dem Boden lag eine zerknüllte Zeitung. Ich besah sie mit ungeheurem Interesse. Mein Schwindel war fast wieder fort, aber ich behielt davon einen blöden Druck im Hinterkopf. Jan verhandelte gerade an dem Schalter und zog ein Bündel Geldscheine. Die Uhr in der Halle zeigte zehn Minuten vor zwölf. Jan kam vom Schalter zurück; während er ging, verstaute er das Wechselgeld und die

Fahrkarten. Er sagte, unser Zug ginge in einer Viertelstunde. Sein Gesicht blieb düster.

Wir befanden uns die nächsten zwei Stunden in einem Abteil mit vier polnischen Matrosen und einem todschicken polnischen Mädchen. Das Mädchen stieg als letzte ein. Vorher hatten mich die Matrosen ausführlich betrachtet. Ich sage absichtlich: betrachtet, nicht: angestarrt, beglubscht oder mit den Augen gefressen. Polen und besonders polnische Matrosen haben eine ungeheuer beruhigende Art, ein Mädchen anzusehen. Hinterher kam dann diese schicke Polin und raubte mir die Szene, worüber ich für zwei Sekunden irrsinnig wütend wurde. Als ich mich beruhigt hatte, sah ich erstens, daß die Polin älter war als ich, und es war nur natürlich, daß ich ihr den Vortritt ließ, denn im System der abrollenden Zeit hatte ich ihr gegenüber eindeutige Vorteile. Zweitens hatte sie eine Laufmasche im Strumpf. Solche Art Fehler wirken auf mich immer irgendwie menschlich. Die Matrosen unterhielten sich mit ihr. Für mich war vor allem wichtig, daß Jan ihr überhaupt keinen Blick widmete. Allerdings glaubte ich, daß es an diesem Mittag buchstäblich nichts gab, dem Jan einen Blick hätte widmen mögen.

Wir fuhren durch viele Wälder, und je weiter wir uns von der Küste entfernten, desto unheimlicher wurden sie. Meistens bestanden sie aus Kiefern. Ich sah auch ein paar Buchen an den Rändern stehen und eine ganze Menge Birken. Ich war Kiefern und Birken aus der Umgebung von Berlin gewöhnt. Kiefern sind dürre, langweilige und irgendwie todtraurige Bäume, jedenfalls in der Umgebung von Berlin. Ich weiß nicht, ob die Kiefern in Polen von einer anderen Rasse sind oder ob sie hier bloß großzügiger wachsen dürfen. Es waren jedenfalls aufregende Burschen darunter. Sie hätten gut und gerne fünftausend Jahre alt sein können, und vielleicht waren sie das auch. Ich merkte förmlich, wie meine Blicke in den dichten, dunklen Wäldern ersoffen. Bestimmt gab es Wölfe, Bären, Luchse und eine Menge anderer Tiere darin, die ich bloß aus Büchern kenne und aus dem Tierpark in Friedrichsfelde.

Nach zwei Stunden fischte Jan plötzlich unser Gepäck aus dem

Netz und verließ das Abteil, und so, wie beispielsweise er auf dem Volkspolizeirevier in Zinnowitz hinter mir hergetrottet war, hatte jetzt umgekehrt ich keine andere Wahl, als hinter Jan über den Gang zu gehen und, als der Zug hielt, durch die Tür auf den Bahnsteig.

Ich sagte: Für neun Stunden verging die Zeit eigentlich ungeheuer schnell.

Wir sind in Poznań, sagte Jan. Da wolltest du doch hin.

Ich muß sagen, er hatte an diesem Tag eine ziemlich merkwürdige Art, auf meine Wünsche einzugehen.

Wir stiegen vor dem Bahnhof in eine Straßenbahn und fuhren ziemlich lange. Poznań war eine ungeheuer saubere und ordentliche Stadt. Die Leute in der Straßenbahn waren vorwiegend ernst. Ich hatte das Gefühl, seit wir in Poznań waren, wurde Jan vollkommen anders. Er fing an auszusehen, wie die Leute in Poznań aussehen, also erst mal ernst, aber da er das auch schon vorher gewesen war und sich trotzdem laufend veränderte, kann ich es am besten beschreiben, wenn ich sage, daß er förmlich gefror. Er wurde dabei nicht steif. Eis splittert schließlich, wenn man es bewegen will. Jan war auf eine phantastische Weise verschlossen. Ich starrte durch das Straßenbahnfenster und sah mir Poznań an. Es gab eine Menge breiter Straßen und ein paar Hochhäuser.

Als wir schließlich ausstiegen, standen wir in einem Viertel mit lauter Neubaublöcken, von denen einer aussah wie der andere. Bei uns gibt es solche Häuser beispielsweise in Johannisthal oder Adlershof. Jan ging mit mir an vier, fünf Fronten vorbei. Am Straßenrand wuchsen Linden. Jan betrat einen Hausflur. Wir stiegen eine Menge Stufen hoch. Wir standen schließlich vor einer blaulackierten Wohnungstür mit einem Namensschild. Auf dem Schild stand der Name Ziębiński. Ich fragte Jan, ob das ein seltener Name in Polen sei. Jan sagte, der Name sei in Polen so häufig wie bei uns Meyer oder Schmidt. Ich fragte Jan, ob alle Ziębińskis in Polen untereinander Verbindung hätten, so eine Art nationalen Ziębiński-Club, damit, wenn jemand in eine fremde Stadt käme, er sofort einen Ziębiński fände, zu dem er als

Żiębiński gehen könnte. Jan drückte erst mal die Klingel. Er sagte, es gebe keinen nationalen Żiębiński-Club und in dieser Wohnung hier lebten seine Eltern. Ich hatte mir zuletzt so was gedacht, aber ich hatte ursprünglich nicht damit gerechnet. Es war *mein* Wunsch gewesen, daß wir nach Poznań fuhren, nicht seiner. Poznań liegt an der Strecke zwischen Szczecin und Jarosław. Die Idee mit dem Żiębiński-Club war übrigens nicht schlecht gewesen. Ich stehe heute noch dazu. Nicht nur die Żiębińskis sollten darüber nachdenken, auch die Meyers und die Schmidts sollten. Es gibt einfach viel zuwenig Kontakt unter den Menschen.

31

Vor der Tür war alles anders gewesen oder doch irgendwie neu.
Innen war alles alt.
Jans Vater hinkte. Der erste Blick, mit dem er mich ansah, war
freundlich. Der zweite, als ihm Jan was gesagt hatte, war finster,
und dabei blieb es. Jan sah seinen Eltern nicht besonders ähnlich.
Die Zimmer waren klein und standen voll riesiger schwarzer
Möbel. Jans Vater hatte ein steifes Bein. In einem Lehnstuhl saß
eine alte Frau. Es war noch ein junger Mann in der Wohnung. Er
war glatzköfig und trug einen komischen schwarzen Kittel. Jan
sagte, der Mann wäre ein Verwandter und er wäre Dorfpfarrer in
der Wojewodschaft Poznań. Ich hatte noch nie in meinem Leben
einen katholischen Priester außerhalb der Kirche gesehen, höchstens in italienischen Filmen.
Ich muß sagen, daß ich mich selten irgendwann so jammervoll
gefühlt habe wie in der folgenden Stunde. Es gab einen großen
runden Tisch, und auf dem Tisch waren Teller und Bestecke. Es
wurde erst ein weiterer Teller aufgelegt und nach einer Weile
noch einer. Jan hatte ein kurzes Gespräch mit seinem Vater. Ich
glaube, sie stritten über irgendwas, aber ich konnte überhaupt
nichts verstehen. Ich sah, daß Jan ziemlich wütend war. Er ging
zu einem Schrank und holte eine Flasche mit Wodka heraus. Er
stellte Gläser auf den Tisch. Der Wodka war ein *Wyborowa*.
Jan schenkte für jeden ein Glas ein, auch für den Pfarrer und für
die alte Frau. Er sagte, das sei die Sitte der Polen, einen Freund
willkommen zu heißen. Die alte Frau konnte ihr Glas nicht an-
fassen, weil ihre Hände zitterten, aber sie nickte mir zu. Der
Pfarrer lachte und trank. Jans Vater hinkte aus dem Zimmer. Ich
sah, daß Jans Mutter kurz davor war zu heulen. Die alte Frau in
dem Rollstuhl war, sagte Jan, die Mutter seines Vaters.
Wir setzten uns um den Tisch. Jans Vater war wieder hereinge-
humpelt, er trank dann auch seinen Wodka, irgendwie neben-
sächlich. Ich glaube, er sah den Priester dabei an. Jans Mutter
trug eine Suppe auf. Es war eine Weißkohlsuppe mit Kartoffeln

und Dill, dazu stellte sie einen Korb mit Brotscheiben auf den Tisch. Ich würde sagen, daß diese Suppe unter anderen Umständen bestimmt großartig gewesen wäre. Etwas, das auch Oma Hela hätte kochen haben können. Ich meine, von jetzt und hinterher kann ich das feststellen. Damals löffelte ich das Zeug herunter, und es schmeckte alles wie aufgelöste Pappe mit Kümmel und Salz.

Der Priester fragte mich, ob ich katholisch wäre. Er fragte es auf deutsch. Er sprach längst nicht so gut wie Jan. Ich schüttelte den Kopf. Es schien den Priester nicht besonders zu beeindrucken.

In der Zwischenzeit stritt sich Jan mit seinem Vater. Sie waren überhaupt nicht laut dabei. Ich merkte, daß sie sich stritten, bloß an ihren Gesichtern und an der Art, wie sie besonders schnell sprachen. Es schien irgendwie auch um mich zu gehen, denn Jan sagte ein paarmal meinen Namen. Bloß die alte Frau nickte mir wieder zu. Sie nahm den Löffel in die Finger und legte ihn wieder fort, ohne etwas zu essen, weil ihre Hände zu sehr zitterten. Nach einer Weile merkte ich, daß sie blind war.

Jan und sein Vater redeten eine Viertelstunde miteinander, dann sagten sie plötzlich nichts mehr. Die Art, nichts zu sagen, war mindestens genauso scheußlich wie der Streit zuvor.

Ich sah, daß Jan sich mächtig ärgerte. Ich verstand nichts und fühlte mich elend. Jan saß neben mir, und ich legte ihm meine Hand aufs Knie. Das war bestimmt eine ziemlich idiotische Reaktion. In der Schule hatten wir manchmal so was gemacht und natürlich immer aus Quatsch. Ich weiß nicht, ob es Jan peinlich war. Ich weiß nicht, ob er es überhaupt gemerkt hat. Nach einer Weile kam ich mir selber blöde vor und nahm die Hand wieder fort.

Der Priester fing noch mal ein Gespräch mit mir an. Er fragte, wo ich herkäme, und ich sagte es ihm. Er wollte wissen, wie mir Polen gefiele. Ich antwortete ihm, ich sei das erstemal in Polen und ich sei es erst seit einem halben Tag, ich könnte nicht viel sagen. Ich erwähnte noch, daß mir die polnischen Matrosen und die polnischen Kiefern gefielen. Der Priester lachte kurz.

An dem Tisch war es so, daß schließlich kein Mensch mehr ein

Wort herausbrachte, und weil das eine fürchterliche Situation war, stellte Jans Mutter das Radio an. Aus dem Lautsprecher kam Volksmusik. Sie war sehr schrill, und sie war ziemlich schnell, und obwohl ich mit Volksmusik sonst eigentlich überhaupt nichts anfangen kann, gefiel mir das, was aus dem Lautsprecher kam, ziemlich gut. Vielleicht lag es bloß an den Umständen. Vielleicht war ich froh, daß es eine Abwechslung gab, an die ich mich halten konnte. Ich hatte eine Menge konfuser Gedanken. Der Pfarrer zog nach dem Essen eine dünne Zigarre aus der Tasche und steckte sie an. Hinter dem Kopf von Jans Vater, an der Wand, hing ein farbiges Bild von der Muttergottes mit dem Kind. Die Chöre im Lautsprecher des Radios sangen unheimlich laut. Ich hätte Jans Vater gerne irgendwas gesagt, aber mir fiel nichts ein. Ich hätte auch nicht gewußt, ob es ihm recht gewesen wäre.

32

Wir besaßen zusammen noch eintausendsiebenhundertdreiund-
vierzig Złotych. Nach unserem Geld waren das nicht viel mehr
als dreihundert Mark. Man kann sich darüber streiten, ob die
Summe üppig oder knapp ist. Wir waren zu zweit und wollten
nach Jarosław. Polen ist kein ganz kleines Land. Wenn man alles
zusammennimmt, würde ich meinen, daß dreihundert Mark eigentlich verflucht knapp waren, und als natürliche Folge ergab
sich, daß wir uns irgendwie einrichten mußten.

Wir standen hinter Poznań auf der Landstraße nach Środa. Ich
erinnerte mich daran, daß mir irgend jemand erzählt hatte, polnische Landstraßen wären ungeheuer glatt und gut in Ordnung.
Jetzt, wo eine von diesen Landstraßen vor mir lag, konnte ich
nur feststellen, daß der Mann hundertprozentig die Wahrheit gesagt hatte. Die Landstraße war außerdem leer. Es fuhren dreimal
vollbesetzte Omnibusse vorbei. Es fuhr niemand vorbei, dem
wir hätten winken können. Ich hatte in diesem Augenblick eine
gelinde Wut auf polnische Landstraßen, obwohl der Asphalt,
bloß für sich betrachtet, nichts dafür konnte.

Weil es mit dem Warten und Anhalten nichts war, hatten wir uns
auf den Weg gemacht. Es war sonnig, aber es war nicht so heiß
wie die Tage vorher. Jan hatte meine Tasche auf seinen Rucksack
geschnürt, und er trug auch den Schlafsack. Nach vierzig Minuten, als mir zum erstenmal die Füße weh taten, war mir die Tatsache, daß ich ohne Gepäck ging, ungeheuer recht. Jan war nicht
gerade lustig, was er, genaugenommen, auch sonst niemals war,
aber zum Glück für mich war er wenigstens locker. Ich sage: zum
Glück, weil schlechte Stimmungen von anderen Leuten auf mich
körperlich wirken, wie eine Art von Geruch oder Ausstrah-
lung.

Weißt du, sagte ich, Eltern sind eine ungeheuer komplizierte Sache.

Mein Vater haßt alle Deutschen, sagte Jan. Das ist etwas, das ich
nicht begreifen kann.

Mein Vater liebt Münzen, sagte ich, Modellokomotiven und Autofahren. Es wäre aufregend, wenn er wenigstens *etwas* hassen könnte.

Er war in Deutschland, sagte Jan, während der Okkupation. Er hat in einem Bergwerk arbeiten müssen. Dabei ist er Organist. Bei einem Unfall dort hat er sich die Kniescheibe zerschlagen. Es ist für ihn sehr schwierig, Orgel zu spielen, wegen der Pedale.

Ich sagte nichts darauf. Ich hatte gesehen, daß Jans Vater hinkte.

Alles, was Jan erzählt hatte, war ungeheuer vergangen. Ich meine, ich wußte davon, aus der Schule und so, aber für mich war es ungeheuer vergangen.

Wir streiten uns oft, sagte Jan. Eigentlich hatte ich Deutsch studieren wollen, weil mir die Sprache Spaß macht. Er wollte, daß ich Priester werde, wie mein Cousin. Aus meiner Verwandtschaft sind fünf Leute durch die Nazis umgekommen. Für eine polnische Familie ist das nicht einmal viel.

Ich konnte immer noch nichts sagen. Es ist ziemlich ekelhaft, solche Dinge zu hören, auch wenn man überhaupt nichts dafür kann.

Er will nicht einsehen, sagte Jan, daß alles schon siebenundzwanzig Jahre vorbei ist und daß nicht jeder, der deutsch redet, dafür verantwortlich ist.

Wir hätten nicht nach Poznań gehen sollen, sagte ich. Es war eine blödsinnige Idee.

Es gibt bei uns Familien, sagte Jan, wo alles noch beinahe so ist wie vor hundert Jahren. Wer darin aufwächst, wird ziemlich verbogen.

Wir gingen. Für eine Weile sagten wir überhaupt nichts mehr. Es kam uns ein Traktor entgegen, und einmal sprang ein Kaninchen über den Weg. Die Straße war nicht besonders schattig.

Ich frage mich manchmal, sagte schließlich Jan, wie man es überhaupt richtig machen soll.

Keine Ahnung, sagte ich, aber Gehen zum Beispiel ist gar nicht schlecht.

Gut, sagte Jan, aber es ist keine Lösung.

Im Augenblick macht es mir Spaß, sagte ich, Spaß ist ein Argument.

Ich müßte eine Arbeit schreiben, sagte Jan, das ist auch ein Argument.

Ich müßte tausend Dinge tun, sagte ich, Zuhausesein, Zeugnisabholen, Tochterspielen und mich um einen Beruf kümmern.

Es macht natürlich wirklich Spaß, mit dir zu gehen, sagte Jan.

Fein, sagte ich, daß du es so empfindest; bei mir fängt es nämlich gerade an, *keinen* Spaß mehr zu machen.

Bist du müde?

Ich glaube, ich kriege Blasen, sagte ich, eine an der rechten Ferse und eine an der linken.

Ich könnte dich auf die Schultern nehmen, sagte Jan, aber ich fürchte, damit kämen wir nicht weit.

Es ist natürlich Klasse, sagte ich, daß bei euch so wenig Autos fahren, wegen der Umweltverschmutzung, aber irgendwie hätte ich nichts dagegen, wenn ich jetzt beispielsweise bloß auf einem Traktor säße.

Traktor wäre etwas langsam.

Es ist nur, sagte ich, daß ich nicht gleich größenwahnsinnig sein will.

Jan sah mich von der Seite an. Er sagte: Spielst du auf irgendwas an?

Ich sagte: Worauf sollte ich?

Wir sind kein reiches Land, sagte Jan. Wir wissen es selber, und man muß es uns nicht immer sagen.

Ich finde Nicht-reich-Sein dufte, sagte ich.

Das ist kein vernünftiger Standpunkt.

Es ist der einzig richtige Standpunkt, sagte ich, jedenfalls im Augenblick und jedenfalls für mich.

Nein, sagte Jan, es geht einfach darum, was mit Reichtum, wenn er da ist, angefangen wird.

Oder so, sagte ich.

Er muß *vernünftig* verwendet werden, sagte Jan.

Ich weiß, daß du ungeheuer vernünftig bist, sagte ich; und damit hatte ich ihn erst mal von dem heiklen Thema weg.

Es war nämlich so, daß Jan an einer Art Empfindlichkeit litt. Ich hatte das schon vorher gemerkt. Es war immer wieder passiert, daß ich, blöd wie ich war, mit irgendeiner dämlichen Bemerkung mitten in Jans Empfindlichkeit hineingetreten war. Bildlich gesprochen. Wie wenn jemand mit dem Fuß in eine ungeheure Pfütze tritt. Ich weiß nicht, woher diese Empfindlichkeit kam. Ich vermute, sie hatte mit Polen zu tun. Ich kann keinesfalls sagen, daß sie mir unangenehm war. Genaugenommen mochte ich Jan mit all seiner Empfindlichkeit und sogar wegen seiner Empfindlichkeit, sachlich!

Wir waren schließlich über eine Stunde gegangen. Nach meinem Gefühl war es ein knappes Jahrhundert. Wir saßen im Straßengraben, und ich hatte meine Schuhe und Strümpfe abgepellt. Meine Fersen waren unheimlich gerötet, aber ich hatte noch keine Blase. Ich hätte am liebsten meine Füße in kaltes fließendes Wasser gestellt, aber davon war nichts in der Nähe. Jan sagte was von einer Salbe, die man drauftun könnte, aber da wir auch die Salbe nicht greifbar hatten, war es eine ziemlich überflüssige Bemerkung. Ich hätte am liebsten der Firma Clark Boots Ltd., Großbritannien, eine Postkarte geschrieben mit dem Vorschlag, ein paar Clark Boots ohne Fersenteil zu erfinden. Damit man darin von Poznań nach Środa gehen kann, ohne Blasen oder rote Flecke zu kriegen. Andererseits kann ich nicht ausschließen, daß ich in Clark Boots ohne Fersenteil meine Blasen oder roten Flecke dann anderswo gekriegt hätte. Beispielsweise am Mittelfußknochen. Ich sagte schließlich: Dir macht das Gehen überhaupt nichts aus. Oder?

Ich bin als Kind jeden Morgen fünf Kilometer zur Schule gegangen, sagte Jan. Damals war mein Vater Organist auf dem Dorf.

Ich frage das nur, sagte ich, weil du außerdem unser gesamtes Gepäck trägst.

Ich habe auf dem Dorf auch in der Landwirtschaft gearbeitet, sagte Jan. Vor dem Studium war ich zwei Jahre Maurer.

Alle Achtung, sagte ich.

Es war Voraussetzung, sagte Jan.

Mann, sagte ich, du mußt viel Kraft haben.

Jan zuckte die Achseln und sah an sich herunter, als dächte er das erstemal darüber nach.

Kraft ist gut, sagte ich, Kraft ist ungeheuer *cool*, jedenfalls manchmal.

Ich hockte im Straßengraben. Ich sah meine Füße an. Dann sah ich Jan an. Er rauchte eine Zigarette, wegen der Insekten, die es auch in Polen gab. Wir saßen vor einem Buchweizenfeld. Der Wald hinter den Feldern war ungeheuer schwarz und todsicher genauso wie all die Wälder, durch die ich mit der Bahn von Szczecin nach Poznań gefahren war. Eigentlich war es hier schön. Es war vollkommen eben und schön. Ich ärgerte mich kein bißchen mehr, daß wir keinen Wagen zum Mitnehmen gefunden hatten. Ich legte mich zurück ins Gras. Es roch ganz schwach nach Waldmeister. Über uns waren Äste, und über den Ästen war Himmel.

Ich sagte: Jan. Ich möchte nicht sein, was ich bin. Damit du keinen Grund hast, dich meinetwegen mit deinem Vater zu streiten. Ich möchte, daß dein Vater nicht in deutschen Bergwerken gearbeitet hätte. Oder daß ihm wenigstens jemand sein Bein heilt. Oder daß er nicht mehr so oft daran denkt. Ich möchte, daß die Welt nicht zu arm und nicht zu reich ist. Ich möchte, daß die Welt vernünftig ist. Ich möchte Pole sein und so empfindlich sein wie du. Ich möchte mit dir ewig über Landstraßen gehen. Ich möchte mit dir ewig hier im Graben sitzen. Ich möchte keine roten Flecke an den Füßen kriegen.

Wir lagen nebeneinander im Gras des Grabens an der Landstraße von Poznań nach Środa und hatten vor uns ein Buchweizenfeld. Wir hätten uns jetzt lieben können, aber das wäre vielleicht problematisch geworden. Es war auch so alles gut. Es roch nach Waldmeister. Polen war schön.

33

Irgendwann fanden wir einen dreirädrigen Lieferwagen, der nach Kórnik fuhr. Ich saß neben dem Fahrer. Der Fahrer trug einen grauen Schnurrbart und rauchte aus einer schwarzen Pfeife. Jan saß zusammen mit unserem Gepäck und zwei leeren Milchkannen auf der Ladefläche.

Kórnik hat ein ziemlich irres Schloß. Es liegt in einem Teich, der vermutlich künstlich ist und in dem ein paar fette Schwäne schwimmen. Das Schloß Kórnik sieht haargenau so aus wie Schlösser in bestimmten englischen Filmen, wo Morde passieren oder Geister mit dem Kopf unterm Arm herumlaufen. Jan bestand darauf, daß ich mir das Schloß von innen ansah. Ich stehe eigentlich nicht auf Museen. Ich habe mich immer gräßlich in ihnen gelangweilt. Ich wollte Jan nicht die Laune verderben und ging mit ihm in das Schloß. Es sah innen ungefähr genauso aus wie von außen. Am irrsten war ein gigantischer Schreibtisch, auf dem der letzte Schloßherr geschlafen hat, einfach so, mit einem dicken Wälzer als Kopfkissen. Außer uns waren noch ein Haufen Schulkinder da, die ungeheuer ehrfürchtig und still waren. Schulkinder in Polen sind meistens so. Sie tragen meistens dunkle Anzüge.

In Kórnik aß ich noch Barszcz. Ich finde Barszcz fabelhaft. Barszcz sieht aus wie eine Tasse Blut, aber wenn man sich überwindet und die Tasse an die Lippen setzt, schmeckt es eindeutig nach Salz und roten Rüben.

Jan war an diesem Abend ziemlich gesprächig. Vielleicht hatte ihn das Schloß dazu angeregt, daß er mir alles mögliche erklären mußte. Weil der Besitzer von Kórnik ein Magnat gewesen war, erzählte er mir erst mal eine Menge von anderen Magnatenfamilien. Magnaten sind polnische Großfürsten. Zahllose Magnaten leben heute in England, Frankreich und Amerika, weil Polen sozialistisch ist. Es leben aber auch noch eine Menge Magnaten in Polen, obwohl es sozialistisch ist. Die Magnaten sind dann keine Magnaten mehr. In England, Frankreich und Amerika sind sie

irgendwie auch keine Magnaten mehr, weil sie nicht in Polen leben. In Polen schreiben Magnaten zum Beispiel Bücher. Jan erzählte mir von einer Magnatentochter, die verheiratet war mit einem berühmten polnischen Filmemacher und die selber in Filmen auftritt. Jan sagte mir, die Magnatentochter sei aufregend schön. Ich wurde immer nervös, wenn ich Jan auf diese Weise von Frauen reden hörte, was aber nur ein Beweis dafür ist, daß ich ungeheuer an Jan hing. Ich achtete noch darauf, daß Jan in Kórnik eine Flasche *Wyborowa* kaufte. Ich war nicht etwa von einem Tag auf den anderen ein Trunkenbold geworden, aber ich darf daran erinnern, daß *Wyborowa* für uns etwas gänzlich anderes war als Schnaps. Es war eine Art heiliger Saft. Mit *Wyborowa* im Magen hatten wir am Strand von Zinnowitz in zwei Strandkörben übernachtet. Mir fiel ein, daß noch eine halbe Flasche davon in einem der Strandkörbe liegen mußte, denn wir hatten sie in der Aufregung zurückgelassen, als der Polizist kam. Das heißt, die Flasche würde natürlich *nicht* mehr dort liegen. Entweder die Leute, die in dem Strandkorb tagsüber saßen, hatten sie weggeputzt, oder, was wahrscheinlicher war, der Strandkorbwächter hatte sie gefunden. Ich gönnte sie ihm. Ohne ihn wäre ich jetzt nicht in Polen gewesen. Ich hoffte, er hatte sie ausgetrunken und hinterher furchtbare Dinge gesehen, vielleicht Muscheln mit Geierschnäbeln, die ihm die Augen aushacken wollten. Ich war an diesem Abend ungeheuer milde gestimmt.
Wir gingen aus Kórnik fort und gingen zu einer Waldlichtung ziemlich weit weg von der Straße. Wir rollten den Schlafsack auf und krochen hinein. Zuerst war mir ein bißchen unheimlich. Ich hörte auf jedes Geräusch. Ich erschrak bei jedem Geräusch. Ich wollte unbedingt vermeiden, daß mich die Wölfe fraßen. Ich trank von dem *Wyborowa*. Ich hörte bloß Ästeknacken, Mückensummen und kitschiges Vogelzwitschern. Ich glaube nicht, daß Wölfe mit Ästen knacken, wenn sie unterwegs sind. Jedenfalls wäre es unpraktisch. Es würde ihre Opfer bloß warnen. Jan mußte wieder zahllose Zigaretten rauchen wegen der Mücken. Es wurde dunkel, und der Himmel hatte eine Menge prachtvoller polnischer Sterne. Ich fühlte mich mindestens wie eine Magnatentochter.

34

Am nächsten Morgen waren wir immer noch nicht in Środa, sondern bloß auf der Landstraße dorthin. Wir hatten diesmal Glück. Wir warteten keine zehn Minuten, als ein ungeheures Ding kam und neben uns hielt. Das Ding war erst mal silbergrau und phantastisch lang. Ich sah silbergraue Metallbuchstaben, die ergaben das Wort *Plymouth*. Dann ging bei dem Ding eine Tür auf, und ein Mann kam heraus. Ich gebe zu, daß sich vorher, ich meine beim Anblick des Dings, in mir eine Menge verkrampft hatte. Ich rechnete damit, daß jetzt ein alter glatzköpfiger amerikanischer Daddy mit Zigarre und buntbestickten Hosenträgern herauskäme. Ich kannte so was aus Filmen und manchmal auch aus Berlin. Oder so ein Zwei-Meter-Klotz mit weißem Baby-Gesicht, was ungefähr auf das gleiche hinausläuft. Der Mann war zwar klein und nicht mehr besonders jung, aber er sah sonst einigermaßen normal aus. Er trug eine Brille mit dicken Gläsern. Er fragte uns auf englisch, wo wir hinwollten. Ich sagte es ihm. Der Mann lachte etwas und fragte uns auf deutsch, wo wir herkämen. Ich sagte ihm, wir seien bloß genau zur Hälfte deutsch, also ich wäre es. Wir redeten dann bloß noch Deutsch. Der Mann redete es fließend, aber natürlich mit seinem komischen Slang-Akzent.

Wir stiegen ein und fuhren los. Der Wagen war innen genauso phantastisch wie außen, und ich wurde meine Verkrampfung noch immer nicht richtig los. Der Wagen hatte zum Beispiel eine Klima-Anlage. Der Mann sagte dazu *air condition*. Ich mußte mir bald meine Jacke anziehen. Es ist irgendwie irre, wenn hundertprozentiger Hochsommer ist und ich sitze in so einer Blechkiste und meine Haut hat das Gefühl, es wäre beispielsweise November. Es ist keine Übertreibung, wenn ich sage, daß mir für die erste Viertelstunde ein Traktor entschieden lieber gewesen wäre, und dabei ist Traktor, bloß von der Geschwindigkeit her genommen, beinahe das letzte.

Wir kamen durch Środa, das für uns über einen Tag so was wie eine ungeheuer entfernt gelegene Endstation gewesen war, und jetzt erkannten wir Środa erst, als wir es schon fast hinter uns hatten. Ich kann also kein Wort über Środa sagen. Ich meine, vom Standpunkt der Geschwindigkeit ist ein vollklimatisierter *Plymouth* einem Traktor irgendwie vorzuziehen.

Der Mann sagte, er wolle nach Legnica. Wir redeten eine ganze Weile, und ich erfuhr, daß der Mann in Boston lebte und eine Textilmaschinenfabrik besaß. Er fischte während des Autofahrens ein paar Fotos aus seinem Handschuhfach und zeigte sie uns. Auf den Bildern war eine ungeheuer klotzige Villa mit Säulen in einem Riesenpark. Auf den Bildern waren außerdem verschiedene Kinder; zwei von ihnen trugen Brillen und sahen dem Mann, der uns in seinem Wagen fuhr, irgendwie ähnlich. Es waren seine Kinder. Er hatte insgesamt sechs Kinder, und sechs Kinder sind eine Menge. Ich hatte mir bisher nie darüber Gedanken gemacht, ob ich je in meinem Leben Kinder haben wollte und, wenn ja, wieviel. Ich finde, *ein* Kind ist schon ungeheuer viel. Der Mann hatte sechs, aber er hatte auch diese Protzvilla mit den Säulen und dem Park. Ich vermute, daß er Millionär war. Millionäre sind mir ungeheuer egal, und das einzige Peinliche war, daß ich jetzt mit einem von ihnen in einem vollklimatisierten *Plymouth* saß, um von Środa Richtung Wrocław zu fahren.

Der Mann erzählte, daß er nach Legnica wollte, weil er in Legnica geboren war. Er sagte, er heiße Gould. Ich muß dazu bemerken, daß der Mann in der ersten halben Stunde oft gelacht hatte. Er konnte auf eine ziemlich witzige und merkwürdige Art lachen. Sein Lachen nahm mich irgendwie für ihn ein. Als er dann anfing, von Legnica zu erzählen, lachte er kaum noch. Ich entdeckte, daß der Mann traurig war. Ich meine damit nicht, daß er ein Tränenkloß oder Muffel war, was etwas vollkommen anderes ist. Er war einfach von seiner Seele her traurig, so wie Jan von seiner Seele her vernünftig war. Der Mann konnte, obwohl er traurig war, gelegentlich lachen, und es war eben das, was sein Lachen besonders machte, so daß es mich für ihn einnahm.

Der Mann war in Legnica geboren und war in Legnica aufgewachsen, erzählte er, bis er acht Jahre alt war. Sein Vater hatte eine Praxis als Augenarzt gehabt. Sein Vater war ein sehr guter Augenarzt gewesen, sagte der Mann. Im Jahre neunzehnhundertachtunddreißig, sagte der Mann, wäre er selber plötzlich auf die Eisenbahn gesetzt worden und von Legnica allein bis nach Aachen gefahren. Der Mann beschrieb uns die Reise. Ich sah einen achtjährigen Jungen aus Legnica zehn Stunden mit der Bahn fahren, nach Berlin und von Berlin nach Köln und von da nach Aachen. Ich kannte Köln und Aachen nicht. Ich kannte Legnica nicht. Der Mann erzählte, er wäre vier Wochen in einem Kinderheim gewesen, und dann sei das Kinderheim ausgesiedelt worden nach Amsterdam. Es wäre das letzte Kinderheim dieser Art gewesen, dem eine solche Umsiedlung gelungen sei. Der Mann sagte, er wäre dann ein Jahr in einem Waisenhaus in Amsterdam gewesen; schließlich sei er mit einem Schiff nach Amerika gefahren, zusammen mit den anderen Kindern. Es wäre der letzte Kindertransport gewesen, sagte der Mann, der auf diese Weise von Holland nach New York hätte reisen können.

Der Mann erzählte das alles überhaupt nicht vorwurfsvoll. Er war bloß traurig. Der Mann sagte, seine Eltern und alle seine Verwandten wären zurückgeblieben. Sie wären in das Lager Auschwitz gebracht worden und dort umgekommen. Der Mann wollte, wenn er in Legnica gewesen war, nach Auschwitz fahren. Der Mann hatte jetzt selber sechs Kinder. Ich könnte wetten, daß er Millionär war. Vielleicht war er nicht einmal gerne Millionär, aber er war es. Mir passierte es zum zweitenmal innerhalb von einem reichlichen Tag, daß ich solche Geschichten hörte. Ich kann nur wiederholen, daß es etwas anderes ist, ob man Dinge dieser Art bloß aus Büchern oder in der Schule erfährt, oder ob sie einem gewissermaßen lebendig gegenüberstehen. Ich wußte natürlich, daß sie trotzdem ungeheuer vergangen waren, aber sie waren es plötzlich irgendwie auch wieder nicht.

Nach einer Weile, es war auf der Strecke zwischen Rawicz und Żmigród, fing der Mann an, von seinem Leben in Amerika zu erzählen. Er war mit den Geldern von einer Stiftung auf Schulen gewesen und hatte Technik studiert. Er hatte eine Erfindung gemacht. Er war Soldat in Korea gewesen und hatte dort einen anderen Soldaten kennengelernt, dessen Leute Geld besaßen und die später seine Erfindung finanzierten und mit denen zusammen er jetzt seine Fabrik betrieb, wo die von ihm erfundenen Maschinen hergestellt wurden. Ich merkte, wie Jan auf das Wort Korea nervös reagierte. Mir fiel ein, daß vor zwanzig Jahren Korea ungefähr das war, was jetzt Vietnam ist, nicht so schrecklich vielleicht, weil es schneller zu Ende ging, aber Kriege sind jedenfalls immer schrecklich. Ich begriff irgendwie nicht, daß ein Mann mit einer solchen Geschichte Soldat in Korea sein konnte.

Während der Fahrt durch Żmigród sagte der Mann, es ginge ihm großartig in Amerika. Er sagte wörtlich: Es ist ein scheenes Leben! Er lachte dabei, und es war das Lachen, an dem ich erkannte, daß er traurig war. Ich sah, daß Jan sich wegen der Erzählungen des Mannes ärgerte. Der Mann sagte zum Beispiel, er hätte in seiner Villa in Boston zwei Zimmer mit lauter originalen Mies-van-der-Rohe-Möbeln. Ich hatte keine Ahnung, wer Mies van der Rohe war, aber Jan wußte offenbar Bescheid. Der Mann sagte wieder: Es ist ein scheenes Leben! Dann erzählte er, daß zwei seiner Kinder, zwei Mädchen, bei einem Bergbauern in der Tatra lebten. Sie waren dort für ein Jahr. Der Mann wollte sie besuchen, wenn er in Legnica und Auschwitz gewesen war. Er sagte, seine Töchter sollten erleben, wie es in Europa zugeht und auf einem Bauernhof, und außerdem sollten sie Polnisch lernen. Er sagte noch, eine seiner frühesten Erinnerungen wäre, daß er mit seinem Vater, dem Augenarzt, in Zakopane gewesen war. Zakopane liegt in der Tatra. Daß seine Töchter jetzt in Polen seien, sagte der Mann, verdanke er der Vermittlung seines Gärtners, der ein Amerikano-Pole sei und Verwandte in der Tatra habe. Ich begriff plötzlich, daß der Mann Heimweh hatte, nach Europa und Legnica und Zakopane, und daß er deswegen traurig war. Er lachte wieder und sagte: es ist ein scheenes Leben.

Als wir in Wrocław waren, lud uns der Mann zum Essen ein. Ich sagte ziemlich schnell ja. Ich sah sofort, daß Jan dagegen war. Jan war ein Pole, und alle Polen sind ungeheuer stolz. Ich dachte an unsere Reisekasse und hatte außerdem Hunger. Nachdem ich so vorschnell die Einladung des Mannes angenommen hatte, wollte Jan vermutlich nicht widersprechen. Polen sind nicht bloß stolz, sondern außerdem rücksichtsvoll.

Wir saßen in einem ungeheuer teuren Schuppen. Suppe, Salat und Steak. Zwischen Suppe und Steak fing es an, daß sich Jan und der Mann über das Leben in Amerika stritten. Das heißt, es war weniger ein Streit als ein Austausch von Meinungen, der manchmal ein bißchen scharf geriet. Jan hatte Verwandte in Amerika. Sie waren entweder Dienstmädchen oder Müllfahrer oder arbeitslos. Der Mann bestritt das nicht. Er sagte, jeder habe dort eine Chance, er müsse sie eben nutzen. Jan sagte, nicht jeder könne eine Textilmaschine erfinden. Der Mann sagte, es gäbe auch andere Ideen. Jan sagte, es sei etwas nicht in Ordnung, wenn eine ganze Nationalität, zum Beispiel die Polen, einfach keine Chance kriegte. Der Mann sagte, die Polen seien nicht die einzige Nationalität, die Schwierigkeiten hätte, es gebe andere Nationalitäten, die weitaus schlechter dran wären. So ging es noch eine ganze Weile. Der Mann ließ zweimal Wodka bringen. Ich weiß nicht, ob es *Wyborowa* war, weil es an den Gläsern nicht dranstand. Ich hätte die Unterhaltung am liebsten unterbrochen und von was anderem geredet. Aber dann sah ich, daß der Mann diese Unterhaltung regelrecht *brauchte*. Er genoß sie, und gleichzeitig litt er darunter. Ich glaube, er war traurig, daß es alle diese Ungerechtigkeiten gab, aber damit er sie ertragen konnte, machte er uns und sich selber vor, sie seien in Ordnung. Ich konnte, daß er traurig war, förmlich mit Händen greifen und verstand überhaupt nicht, daß Jan nichts davon merkte.

Nach dem Essen gingen wir auf die Straße, und der Mann fragte, ob wir nicht Lust hätten, mit ihm nach Legnica zu fahren und hinterher in die Tatra. Er war ziemlich enttäuscht, als wir ablehnten. Wir brachten ihn bis zu seinem silbergrauen vollklimatisierten *Plymouth*. Er stieg nicht ein, sondern wartete, bis wir davongingen. Als ich mich nach einer Weile umdrehte, stand er noch immer neben seinem phantastischen Ding und blickte hinter uns her. Ich glaube, er hätte gerne noch tagelang mit Jan so geredet oder meinetwegen gestritten. Wie er dort stand, wirkte er irgendwie richtig klein, richtig alt vor Traurigkeit.

35

Ich habe nicht viel von Wrocław gesehen. Es gab eine Menge alter Kirchen und Häuser, von denen mir Jan sagte, sie seien alle erst nach dem Krieg wiedergebaut worden, denn davor waren in der Stadt bloß Ruinen gewesen. Ich hatte in den letzten zwei Tagen genug von schlimmen Dingen gehört. Es fing an, eine Schinderei zu werden. Wenn jemand achtzehn Jahre lang nicht darüber nachgedacht hat, sind zwei Tage ein bißchen knapp, plötzlich damit fertig zu werden. Aber so viel hatte ich begriffen, daß man in Polen nicht daran vorbeikommt. Ich hatte nach Polen gewollt, und die Wahrheit ist, daß ich auch an allen diesen Dingen nicht vorbeikommen wollte.

Wir fuhren mit zwei Straßenbahnen (weil wir mit der ersten verkehrt waren) und stellten uns an die Landstraße nach Opole. Wir fanden einen Zementtransportwagen, der nahm uns mit bis nach Oława. Ein junger Kerl, der ungeheuer lange Haare trug, außerdem Nickelbrille, piekfeine Klamotten, und der einen uralten klappernden Opel Pe-Vier fuhr, nahm uns mit bis nach Brzeg. Ein vollkommen leerer Kleinbus erbarmte sich bei unserem Anblick und ließ uns bis Lewin Brzeski mitgehen. Wir hätten darin auch noch nach Niemodlin fahren können, aber da wollten wir nicht hin.

Am verläßlichsten sind immer noch Lastwagen. Wir fanden ab Lewin Brzeski einen, der fünf rostige Elektromotore geladen hatte, und am Steuerrad saß eine dicke Frau. Sie rauchte Kette und redete kein Wort Deutsch. Sie fuhr uns durch ganz Opole durch und setzte uns in Strzelce Opolskie ab, weil sie weiter nach Zawadzkie mußte.

Danach war es zu Ende. Wir hatten einfach kein Glück mehr. Es kamen Linienomnibusse, die stoppten unseretwegen nicht. Weil das auch schon früher geholfen hatte, traten wir Landstraße. Der Entschluß war auch jetzt wieder weise gewesen, denn von dem, was vorüberfuhr, hielt immer noch nichts an. Es war wie bei der Autobahnauffahrt Pfingstberg. Bloß daß die Gefahr, irgendwann käme in einem mausgrauen Wolga die Greisin vorbeigefahren, verhältnismäßig gering war.

Es ist nun nicht so, daß ich bei unserer Landstraßenwanderung zwischen Strzelce Opolskie und Toszek besonders an die Greisin dachte. Dazu wäre höchstens die ersten beiden Kilometer hinter Strzelce Opolskie Gelegenheit gewesen. Ich bin gutwillig und gebe noch mal zwei Kilometer dazu. Also maximal bis elf Kilometer vor Toszek. Dann kamen mehrere Dinge hintereinander, die mir jeden Gedanken an Berlin, Pfingstberg und die Greisin samt Wolga unmöglich machten. Sogar den Gedanken an Wrocław und den Mann, der Gould hieß, aus Legnica kam, nach Legnica wollte und der uns an einem nicht näher zu bezeichnenden Punkt auf der Strecke zwischen Kórnik und Środa aufgelesen hatte. Es könnte höchstens sein, daß ich zwischendurch mal an den vollklimatisierten *Plymouth* gedacht habe, und zwar ohne jede innere Verkrampfung, wofür ich eine Menge guter Entschuldigungen beibringen kann.

Ich sagte was von mehreren Entschuldigungen, und ich will versuchen, sie der Reihe nach aufzuzählen.

Ich fange damit an, daß mir zwei Kilometer hinter Strzelce Opolskie wieder die Fersen brannten. Ich hatte schon genau vierundzwanzig Stunden zuvor an den Fersen rote Flecke gehabt. Ich hatte sie hinterher nicht besonders im Auge behalten, aber in vierundzwanzig Stunden gehen rote Flecke dieser Art jedenfalls nicht spurlos fort. Jetzt brannten sie wieder, und ich trug meine Clarks, die bekanntlich nicht die von mir erfundene fersenfreie Ausführung darstellten. Nach noch mal zwei Kilometern Richtung Toszek war das Brennen ganz ungeheuer geworden. Ich sagte nichts, sondern ging zusätzlich zirka vier, fünf Kilometer, wobei mir übrigens allmählich das Wasser über die Augenbrauen lief.

Inzwischen fragte ich mich ernsthaft, ob es sich bei den roten Flecken immer noch bloß um rote Flecke handelte. Meinem Gefühl nach war es was viel Furchtbareres. Außerdem gab es dafür, daß mir das Wasser über die Augenbrauen lief, neben dem Brennen an meinen Fersen noch einen anderen Grund, und der war eher meteorologischer Art.

Polen hat, um das zu erwähnen, bereits eine Art europäisches Festlandklima, was sich, unter anderem, durch ein heißes und trockenes Hochsommerwetter auszeichnet. Heiß und trocken bedeutet nicht, daß Niederschläge völlig fehlen. In der Gegend von Toszek, sagen wir Ujazd oder Wielówieś oder meinethalben Pyskowice, hing ein Gewitter, und die Luft war schwül.

Ich ging noch mal zirka anderthalb Kilometer, und dann konnte ich nicht mehr. Ich setzte mich auf einen Kilometerstein. Hinter Ujazd war meteorologisches Gebrodel. Jan, dem selber das Wasser über die Augenbrauen lief, blieb stehen und zog ein gereiztes Gesicht. Es ist ja so, daß schwüle Luft und Gewitternähe die Leute automatisch gereizt macht, und ich nehme mich da nicht aus. Ich schnürte erst mal einen von meinen Clarks auf, den rechten. Ich zog ihn herunter. Es war nicht gut, was ich sah. Hinten am Strumpf war eine Art Tintenklecks, der nicht aus Tinte bestand. Ich zog auch noch den Strumpf herunter. An meiner Ferse war ungefähr das, was ich erwartet hatte. Verschiedene Arten von Haut und rosa Fleisch. Wenn ich dort jemals eine Blase gehabt hatte, so mußte sie verdammt vorübergehend gewesen sein.

Ich hielt meinen Fuß dem Gewitter entgegen. Ich verzichtete darauf, auch noch die andere Ferse zu betrachten. Das Knurren und Murren am Himmel über Ujazd wurde ernsthafter.

Wenn Jan sich in diesen Augenblicken nicht ansehen wollte, wie es meiner Ferse ging, war das natürlich erst mal seine Sache. Trotzdem fand ich persönlich seine Haltung schäbig. Ich denke, dieses Urteil muß man mir zubilligen. Jan äugte aber lieber in Richtung auf Toszek. Dann sagte er, und zwar war er dabei mächtig gereizt: Komm, wir müssen weiter.

Ich sagte: Ich kann nicht mehr.

Er antwortete mit einem Spruch, den eigentlich sonst bloß Greise verwenden, vermutlich nicht bloß meine Greise, aber meine Greise auf jeden Fall, Jan sagte nämlich: Du wirst können müssen.

Mich empörte dieser Spruch ganz spontan. Das Gewitter schob sich währenddessen über die Landstraße E-Zweiundzwanzig-A in nordöstlicher Richtung von Toszek auf Strzelce Opolskie. Ich blieb äußerlich ruhig und sagte: Meine prima Clarks sind voller Blut und Soße. Ruggediguh. Wie Aschenputtel.

Jeder wird zugeben, daß ich in diesem Moment ungeheuer poetisch war. Jan war trotzdem weiterhin bloß mit seinem dämlichen Gewitter beschäftigt. Meine eigene Ferse gehörte aber mir, Gittie Marczinkowski, während das Gewitter jedem und keinem gehörte und bloß irgendwo am Himmel zwischen Ujazd, Toszek, meinethalben Wielówieś, aber jedenfalls Strzelce Opolskie hing.

Ich spare mir jetzt im folgenden alle zusätzlichen Bemerkungen und stelle bloß fest, daß es ein ziemlich ausführliches Gespräch wurde.

Es begann damit, daß Jan etwas sagte, wogegen im Prinzip nichts einzuwenden war, Jan sagte nämlich: Wir müssen nach Toszek.

Ich sehe das ein, sagte ich, aber du mußt einsehen, daß ich dazu nicht in der Lage bin.

Nimm dich zusammen.

Ich hasse es, wenn jemand zu mir sagt, nimm dich zusammen. Ich nehme mich dann grundsätzlich nicht zusammen.

Eine Blase am Fuß ist kein Grund, nicht weiterzugehen.

Erst mal handelt es sich um zwei Blasen, und dann sind das inzwischen auch keine Blasen mehr, sondern es ist rohes Fleisch.

Wir kriegen ein Gewitter.

Ich sehe das.

Ich will nicht, daß wir naß werden.

Warum eigentlich nicht?

Ich will nicht, daß du Pneumonia kriegst.

Was ist das?

Eine Krankheit.

Lieber Pneumonia als Fußschmerzen.

In einer Stunde wird es dunkel werden.

Bleiben wir eben hier.

Es geht nicht, weil wir das Gewitter kriegen.

Ich habe Blasen, die sind aufgegangen. Ich habe Schmerzen. Ich kann nicht mehr. Ich will, daß du Rücksicht nimmst.

Es geht nicht.

Du willst nicht.

Ich fühle mich verantwortlich.

Ich pfeife auf deine Verantwortung.

Daraufhin sagte Jan etwas, das sogar angesichts der Situation und des Gewitters ein ziemlich starkes Stück war. Was das Gewitter selbst betrifft, so hatte es sich jetzt eindeutig auf den mittleren Abschnitt der E-Zweiundzwanzig-A zwischen Toszek und Strzelce Opolskie konzentriert. Der Himmel über uns war dunkelgrau, abgesehen von ein paar gräßlichen weißen Rändern. Donner gab es jetzt fortwährend.

Jan jedenfalls sagte: Wer hat denn die Idee gehabt? Mit knapp zweitausend Złotych von Szczecin nach Jarosław? Du. Ich rede nicht von Backsteingotik. Ich war ein Idiot. Trampen durch Polen. Mit dir und zweitausend Złotych. Jarosław im Herzen, aber an den Füßen Blasen. Gut. Ich kann das nicht ändern. Aber ich kann dafür sorgen, daß du nicht Blödsinn machst. Und ich sorge!

Blödsinn, sagte ich.

Ja.

Du hältst mich für blöd.

Du benimmst dich so.

Jetzt hör mir gut zu, sagte ich, denn ich werde dir mitteilen, wofür ich dich halte. Du bist ein Flegel. In den letzten achtzig Sekunden hast du dich enthüllt. Du bist ein polnischer Flegel. Seit wir in Polen sind, bist du sowieso völlig ausgewechselt. Bloß noch im Schlafsack bist du in Ordnung. Ist ja auch *mein* Schlafsack. Es ist ein Segen, daß wir keinen polnischen Schlafsack haben. Ich bin jedenfalls keine Ziege, aber du jagst mich hier, als wärst du ein polnischer Bauer, und ich wäre deine Ziege.

Du sagst zu oft Polen. Bitte laß das.

Kränkt es dich?

Ja.

Prima, sagte ich. Außerdem gehörst du zu den Typen, die Mädchen für blödsinnig halten, zum Beispiel mich. Du traust mir nichts zu. Aber wenn es darauf ankommt, klettere ich immer noch auf den nächsten Baum, zusammen mit meinem aufgegangenen Blasen, und das wird so sein, daß *du nicht* hinterherkommst.

Ach, sagte er.

Ja, sagte ich.

Bitte, sagte Jan.

Ich sagte: Du, ich mach's.

Ich kann dich nicht hindern.

Okeh.

Hinter der Straße war Wald. Es war nicht viel Wald. Ich meine, es war keiner von den ungeheuren Wäldern, in denen Wölfe und Luchse hausen. In diesem Wald wäre ein Wolf glatt verloren gewesen. Der Wald war ausgeholzt und ziemlich schütter, aber er hatte Bäume, und die Bäume waren hoch. Und weil es ein schütterer Wald war, hatten die Bäume, jedenfalls die am Rand, keine glatten Stämme, sondern Äste bis unten hin, was für Kletterausflüge auf Bäume ein echter Vorzug ist.

Ich humpelte, den rechten Fuß nackt und am linken Fuß den linken Clark, auf den Waldrand zu. Es war eine Strecke von zirka zwanzig Metern. Nach sechzehn Metern drehte ich mich erst mal um. Ich wollte sehen, was Jan tat. Jan stand immer noch am Rand der E-Zweiundzwanzig-A und starrte wieder mal das Gewitter an. Ich humpelte die restlichen vier Meter.

Ich hatte die Wahl zwischen zwei Kiefern. Sie waren sich beide ähnlich, aber eine davon war stärker, vermutlich älter und auf jeden Fall höher. Ich entschied mich für die höhere Kiefer, was möglicherweise ein Fehler war. Ich habe übrigens nicht viel Erfahrungen im Bäumeklettern. Wer vom Prenzlauer Berg stammt, kennt Bäume höchstens als mickrige Linden am Straßenrand, wo ab und zu die Hunde pinkeln. Ich kann mich nicht erinnern, je in Berlin-Mitte oder Berlin-Pankow Kinder auf Bäumen gesehen zu haben. Vielleicht gibt es so was in Friedrichshain, aber dort bin ich, solange ich Kind war, kaum gewesen. Genaugenommen war ich bis zu diesem Zeitpunkt noch nie in meinem Leben auf einen Baum geklettert, aber das wollte ich jetzt alles nachholen.

Ich stellte mich vor meine Kiefer und setzte ungeheuer vorsichtig den linken Fuß, den mit dem Clark, auf einen besonders starken Ast und suchte Halt für meine Hände. Ich fand den Halt und zog mich hoch. Ich suchte einen Halt für meinen nackten Fuß. Hätte ich auch den rechten Clark angehabt, wäre ich entschieden im Vorteil gewesen. Kiefernäste haben eine scharfkantige Rinde, und es ist kein Spaß, mit der nackten Fußsohle darauf zu treten, wenn man es nicht gewohnt ist.

Nach zirka zwanzig Sekunden war ich trotzdem zwei, drei Meter über dem Erdboden und hatte mich eingearbeitet. Meine Hände wurden bißchen harzig. Bei schätzungsweise acht Metern über dem Erdboden wurde der Kiefernstamm merklich schmaler, und die Äste wurden es auch. Ich kam jetzt ungeheuer gut voran. Bei ungefähr elf Metern machte ich erst mal Halt. Ich atmete durch. Ich äugte nach unten. Ich sah eigentlich nicht viel, weil mir lauter Kiefernbüschel den Blick verstellten, aber was ich trotzdem sah, war ziemlich gräßlich, einfach weil es so weit unten lag.

Ich muß dazu sagen, daß ich überhaupt nicht schwindelfrei bin. Die Vorstellung, auf der Aussichtsplattform eines hohen Kirchturms zu stehen, macht mir Übelkeit. Ich war einmal auf dem Berliner Fernsehturm gewesen, zusammen mit meiner Schulklasse, und ich würde es freiwillig nie wieder tun.

Ich zog also schleunigst meinen Blick vom Erdboden zurück. Ich schluckte zweimal. Ich sah, daß ich mich in der Höhe von zirka elf Metern auf einer polnischen Kiefer befand. Ich hatte gesagt, ich würde auf den nächsten Baum klettern, und ich hatte es getan. Ich könnte wieder umkehren.

Da hörte ich direkt unter mir ein Geräusch. Es klang erst mal wie eine Art Saxophon, und ich wunderte mich zunächst, wieso unter einem Baum nahe der E-Zweiundzwanzig-A zwischen Strzelce Opolskie und Toszek ein Saxophon war. Der Ton wiederholte sich, und diesmal kriegte ich erstens mit, daß es sich um kein Saxophon handelte, sondern um eine Stimme, und zweitens, daß es die Stimme von Jan war. Jan hatte sich also vom unmittelbaren Rand der E-Zweiundzwanzig-A fortbegeben, um sich unter den Baum zu stellen, und jetzt schrie er meinen Namen.

Ich schrie zurück: Na?

Komm herunter.

Ich denke nicht daran, schrie ich; und nach dem, was vorgefallen war, wird diese Antwort niemand wundern. Ich kletterte daraufhin noch zusätzliche ein, zwei Meter. Die Äste waren hier noch schmaler.

Das Saxophon schrie von unten: Gittie, bitte!

Ich schrie zurück: Hier oben ist es himmlisch!

Das war eine glatte Übertreibung. Ich hatte ziemliche Mühe, einen Platz für meinen Hintern zu finden. Ich schnürte auch den linken Clark auf, zog ihn vom Fuß und warf ihn durch die Kiefernnadeln. Ich hörte ein paar Zweige knacken. Ich stellte mir Jans Gesicht vor, der auf das Geräusch hin vermutlich alles mögliche erwartete, bloß nicht meinen linken Clark. Wenn ich mit einem nackten Fuß herauf gekommen war, würde ich mit zwei nackten Füßen auch wieder herunter kommen.

In diesem Augenblick fielen zwanzig oder hundert Regentropfen. Sie waren groß, aber sie waren die einzigen. Ich blickte in den Himmel und sah, daß sich das Gewitter unmittelbar an der E-Zweiundzwanzig-A anders entschieden hatte und jetzt Richtung Ozimek, Zawadzkie und Lubliniec zog, bis hin nach Dobrodzień. Jedenfalls war Richtung Sławięcice eindeutig heller Himmel. Ich erkannte, daß Jans Panik reine Masche gewesen war, und irgendwie hatte ich das immer geahnt.

Unten war wieder das Saxophon: Gittie, es tut mir leid!

Kunststück, dachte ich, wenn das Gewitter plötzlich abdreht.

Von unten kam: Versteh bitte, ich hatte Sorge!

Ich schrie: Toller Anblick!

Das Saxophon: Komm jetzt endlich!

Ich sehe Häuser, schrie ich. Ist das Toszek oder Pyskowice?

Herrgott, Gittie, komm zurück!

Ich balanciere! schrie ich, und das entsprach bloß ungefähr der Wahrheit. Balancieren ist, wenn einer freihändig geht, was bei mir nicht der Fall war. Ich hätte trotzdem nicht sozusagen balancieren sollen.

Es hatte übrigens, was jetzt kam, mit der Tatsache, daß ich nicht schwindelfrei bin, kein bißchen zu tun. Ich stand mit zwei nackten Füßen auf einem Ast und hielt mich mit beiden Händen an einem anderen Ast. Ich weiß nicht, welcher von den beiden Ästen nachgab und welcher brach. Ich fiel durch eine ganze Menge anderer Äste und Zweige, und der Lärm war fürchterlich. Irgendwie krallte sich immer was um meinen Hals. Ich hatte mich zuletzt, wie gesagt, zirka zwölfeinhalb Meter über dem Erdboden befunden. Vermutlich habe ich zwischendurch auch gebrüllt, und das, womit alles aufhörte, war dann ziemlich ekelhaft.

Trotzdem waren die ersten Sekunden des Falles – wobei ich gar nicht weiß, wie lange es dauert, wenn jemand wie ich zwölfeinhalb Meter von einer Kiefer fällt, vielleicht sind es auch bloß Sekundenbruchteile –, ich sage: die ersten Sekunden waren irgendwie ungeheuer. Ich meine, ich würde es nicht noch mal machen. Aber bis zu einem gewissen Grade wurde ich für das, was danach kam, entschädigt. Fliegen ist fabelhaft, und was ich tat, war eine Art von Flug. Bloß Liebe ist besser, sachlich!

36

Ich lag dann in einem Bett mit weißen Stahlstangen. Zwei Schritte von mir entfernt stand ein Bett, das genauso aussah, in dem aber niemand lag. In dem Zimmer gab es noch ein Waschbecken, einen Schrank, zwei Fenster und eine Tür. An der Wand hing ein Bild der Muttergottes mit dem Kind. Sie sah ziemlich genauso aus wie die Muttergottes in der Wohnung von Jans Eltern. Die Muttergottes und das Kind hatten dunkle Gesichter. Sie sahen nicht aus wie Neger, aber sie hatten ungefähr diese Hautfarbe. Ich weiß inzwischen, daß es sich dabei um die polnische Muttergottes handelt, die original in Częstochowa hängt. Ich erfuhr das von einer der Schwestern in dem Krankenhaus, die selber Innocentia hieß, was soviel wie Unschuld bedeutet.

Es ist damit schon angedeutet, daß ich in einem Krankenhaus voller Nonnen lag. Die Nonnen hatten enorme Kopfbedeckungen und waren allesamt freundlich. Ich hatte zum Beispiel eine Schwester, die kein Deutsch verstand. Sie war ziemlich jung. Sie hatte eine Goldrandbrille. Ich wollte wissen, ob mein Gesicht durch den Sturz von der Kiefer irgendwas abbekommen hatte, und deshalb hätte ich gerne einen Spiegel gehabt. Es hätte ja sein können, daß mir eine halbe Nase fehlte. Weil die junge Schwester mit der Goldrandbrille kein Deutsch verstand, machte ich ihr vor, wie ich einen Spiegel in der Hand halte und mich darin betrachte. Die Schwester begriff mich augenblicklich und verließ das Zimmer. Als sie wiederkam, brachte sie mir eine Illustrierte, die ich aber nicht lesen konnte, weil sie polnisch war. In der Illustrierten gab es ungefähr zwölf Fotos von *Love Story*.

Später hatte ich eine andere Schwester, die älter war und Deutsch sprach. Sie sagte, daß sie Benedikta hieß, aber vermutlich handelt es sich dabei um eine Art Nonnennamen, weil im allgemeinen polnische Frauen nicht Benedikta heißen, sondern Maria, Jadwiga oder Anna. Von Benedikta erfuhr ich, daß mein eigener Vorname, Brigitte, der Name von einer Heiligen ist, die aus Finstad in Schweden stammt. Schweden ist ein protestantisches

Land, und Brigitte war eine katholische Heilige. Vor dreihundert Jahren hatte Polen einen Wahlkönig, der aus Schweden kam. Er hieß Zygmunt Wasa und war ein Verwandter von Gustav Adolf, den ich aus dem Geschichtsunterricht kannte, der ein Wasa, ein schwedischer König und ein Protestant war. Zygmunt war ein Wasa, aber katholisch, weswegen er polnischer Wahlkönig geworden war. Zygmunt Wasa mußte automatisch von Brigitte aus Finstad gehört haben, denn sie war auch katholisch, und protestantische Heilige gibt es sowieso nicht. Durch Zygmunt Wasa muß die heilige Brigitte in Polen bekannt geworden sein, weshalb mir Benedikta, die Schwester mit der ungeheuren Haube, davon erzählen konnte. Man lernt im Krankenhaus eine Menge merkwürdiger Dinge.

Übrigens, hatte ich an meinem Unterarm mehrere Pflaster. Meine Rippen taten furchtbar weh, wenn ich mit den Fingern darauf herumdrückte. Sonst konnte ich an meinem Körper keine Verluste entdecken, höchstens daß mir wirklich eine halbe Nase fehlte.

Zum Mittagessen gab es eine erstklassige Nudelsuppe und hinterher ein Glas schwarzen Kaffee. Eine Stunde später kam Jan zu Besuch. Er brachte mir einen Strauß Nelken, und dabei war außerdem ein Stengel Frauenschuh, der bekanntlich wild wächst und außerdem eine Orchidee und selten ist. Bei uns steht Frauenschuh unter Naturschutz. Ich könnte mir denken, daß es in Polen genauso ist. Daß Jan für mich ein Gesetz übertreten hatte, fand ich ungeheuer nett.

Jan sah übrigens enorm zerknirscht aus. Er kam behutsam durch die Tür und schlich behutsam bis zu meinem Bett. Ich hatte erst den Einfall, so zu tun, als ob ich tot wäre. Ich schloß die Augen, machte mich steif und wartete, bis Jan neben meinem Bett stand. Ich war gespannt, was er anfangen würde, aber er fing überhaupt nichts an, so daß ich befürchten mußte, er würde sich genauso behutsam wieder davonschleichen. Ich schlug die Augen auf und sagte düster: Habe ich noch meine Nase?

Wenn es nicht deine originale Nase ist, sagte er, haben sie dir hier einen sehr guten Ersatz angenäht.

Das beruhigte mich ungeheuer. Jan fragte, wie es mir gehe. Ich zeigte ihm ein paar von meinen Pflastern und fragte ihn dann, ob er auch meinen linken Clark gerettet habe, weil ich mit Frauenschuh trotz der Seltenheit und trotz des Namens nicht gut gehen könnte. Jan sagte, alle meine Sachen befänden sich in einem Schrank und beide Clarks seien bestimmt dabei.

Jan war noch eine ganze Weile zerknirscht. Ich bin gemein genug zu sagen, daß mir das irgendwie guttat. Da in meiner Erinnerung einiges fehlte, fragte ich Jan, wie ich in das Krankenhaus gekommen war. Jan erzählte mir eine umständliche Geschichte, wie er an der E-Zweiundzwanzig-A das nächste Fahrzeug angehalten habe, und das Fahrzeug habe mich und ihn nach Strzelce Opolskie gebracht. Dort hätte man mich untersucht, aber da in dem Krankenhaus alle Betten belegt waren, hatte man mich in einem Krankenwagen des Spitals von Strzelce Opolskie bis nach Opole gebracht, wo ich jetzt war. Wenn ich bedenke, welche Mühe wir hatten, immerhin bis in die Nähe von Toszek zu kommen, war die Tatsache, daß ich jetzt in Opole lag, ein furchtbarer Schlag. Ich betrachtete meine Fersen. Es war auf jede ein Pflaster geklebt. Jarosław war plötzlich irgendwie sehr weit fort.

Jan sagte dann, daß ihm die ganze Geschichte mit dem Streit, dem Gewitter, meinen Fersen, der Kiefer und der Tatsache, daß ich jetzt in diesem Krankenhausbett von Opole lag, enorm ärgerlich war.

Ich sagte ihm, er hätte ungefähr soviel Anteil daran wie ich selber.

Er sagte, er hätte einfach besser auf mich aufpassen müssen.

Ich sagte ihm, ich haßte es, wenn zuviel auf mich aufgepaßt würde.

Jan sagte, wir wären in Polen, und er wäre Pole, aber ich wäre das nicht.

Wir stritten uns ein bißchen, aber es war kein besonders heftiger Streit. Jan sagte noch, draußen wäre immer noch Hochsommerwetter. Ich hatte nichts anderes erwartet.

Nachdem Jan gegangen war, kam eine Ärztin. Sie brachte Röntgenaufnahmen mit und hantierte mit irgendeinem viel zu kalten

Instrument an meinem Rücken herum. Danach sagte sie mir, ich wäre okeh. Ich hätte eine Gehirnerschütterung gehabt und ich hätte eine Menge Prellungen, aber im Prinzip wäre alles in Ordnung und ich könnte am nächsten Tag entlassen werden. Die Ärztin war nicht mehr ganz jung. Sie war nicht so jung wie ich, vielleicht war sie dreißig. Sie war eine schöne Frau, und ich stelle das ziemlich neidlos fest, weil ich ja mindestens zehn Jahre jünger war. Die Ärztin hieß übrigens Ziębińska, was die weibliche Form von Ziębiński ist. Ich wußte inzwischen, daß der Name Ziębiński in Polen so häufig vorkommt wie bei uns Meyer oder Schmidt. Die Tatsache, daß ich bloß noch eine Nacht in dem weißgestrichenen Metallgitterbett zu liegen hatte, gab mir ziemlichen Auftrieb. In Krankenhäusern werden Leute gesund gemacht, aber daneben gibt es dort eine Menge Langeweile.

Am nächsten Morgen holte mich Jan ab. Ich nahm meine Klamotten aus dem Schrank, einschließlich eines rechten und eines linken Clark. Die Ärztin, die Ziębińska hieß, war nicht zu sehen, dafür sagte ich Benedikta ein paar nette Worte. Ich fühlte mich eigentlich prima. Wir verließen das Krankenhaus und gingen erst mal einen Kaffee trinken.

37

Brustbeutel sind eine enorm praktische Sache. Das sind verschließbare Ledertäschchen, die mit einer Strippe um den Hals getragen werden und sich automatisch durch ihr Eigengewicht verschließen. Der Greis zum Beispiel besaß früher mal einen Brustbeutel, in dem er sein Parteidokument aufbewahrte, weil er es auf keinen Fall verlieren wollte. Ich besaß einen Brustbeutel, seit ich mit den Greisen in der Tatra gewesen war. Früher hatte ich in dem Brustbeutel Briefmarken, Knöpfe, Büroklammern und Fotos von Paul McCartney aufbewahrt. Brustbeutel lassen sich kaum verlieren, es müßte dann schon sein, daß die Strippe reißt. Aber auch da rutscht der Brustbeutel höchstens erst mal bis in die Taille, wo es garantiert einen Hosenbund gibt, in dem der Brustbeutel hängenbleibt. Um einen Brustbeutel endgültig zu verlieren, muß einer schon total bescheuert sein oder beispielsweise von einer polnischen Kiefer stürzen.

Polnische Geldscheine sind ziemlich groß und beulen die Taschen. Es kann ganz gut passieren, daß man einen Schein herauszieht und die anderen Scheine hängen irgendwie daran und fallen auf den Boden, ohne daß man es merkt. Jan war das zweimal passiert. Einmal hatte ich es gesehen, einmal hatte er es selber gesehen. Schließlich hatte ich alle größeren Geldscheine, die Jan besaß und die ich besaß, in meinen Brustbeutel gesteckt. Ich hatte mir den Brustbeutel umgehängt, ehe ich aus der Wohnung der Greise fortgegangen war. Ich habe den Brustbeutel bisher nur einmal erwähnt, weil ein Brustbeutel viel zu unbedeutend ist, als daß man ihn immerfort erwähnen muß. Ich würde ihn auch jetzt nicht wieder erwähnen, hätte ich ihn in Opole noch besessen.

Der Brustbeutel hing an einer Kiefer nahe der E-Zweiundzwanzig-A zwischen Strzelce Opolskie und Toszek. Er hängt bestimmt heute noch da, vorausgesetzt, es haben ihn nicht irgendwelche Insekten zerfressen. Vielleicht gibt es Würmer, die auf Brustbeutelleder, Strippe und polnisches Geldscheinpapier geradezu wild sind. Ich erinnerte mich daran, daß ich während meines Falles aus zwölfeinhalb Meter Kiefernhöhe öfters das Gefühl gehabt hatte, irgendwas griffe nach meinem Hals. Wir brachten uns beide, Jan und ich, die Nachricht sehr schonend bei, aber danach war es so, daß wir erst mal einen *Wyborowa* brauchten. Jan besaß in seinen Hosentaschen noch genau zweihundertneunundachtzig Złotych fünfzig. Ich weiß nicht, was andere Leute in unserer Situation getan hätten. Ich könnte mir vorstellen, daß es Typen gibt, die nach solchen Erfahrungen in Panik geraten. Jan besaß umgerechnet noch sechzig Mark, was für uns beide zusammen nicht viel mehr als gar nichts war, und gar nichts war genau das, was ich selber besaß, da mein Brustbeutel bei den Insekten hing.

Ich sagte, wir befanden uns in Opole, und Opole ist eine schlesische Industriestadt. Es gibt in Opole Fabriken, und in Fabriken kann man arbeiten, um Geld zu verdienen. In der Nähe von Opole gibt es enorme Kupfervorkommen. In Opole werden Wohnungen gebaut, und Jan war, unter anderem, Maurer. Trotzdem war Jan entschieden dagegen, daß wir uns in Opole Arbeit suchten, was nicht automatisch bedeutet, daß Jan etwa leichtsinnig war. Jan wollte einfach aus Opole fort, und das hatte vor allem mit der Krankenhausärztin zu tun, die Ziębińska hieß.

Die Ärztin hatte mir gesagt, ich müßte mich ein paar Tage schonen. In der Nähe von Opole gibt es einen See, der Turawskie heißt. Wir opferten einen Teil von unseren Złotych, um mit dem Omnibus dort hinzukommen. Wir fanden ein paar Buchen und unter den Buchen weiche Erde. Es war kein Mensch in der Nähe, und ich war mit Jan der Meinung, daß hier ein ziemlich guter Platz war für die ärztlich verordnete Schonung von Gittie Marczinkowski.

Wir schwammen. Das Wasser war warm. Jan hatte Wurst, Brot, Apfelsaft, Zigaretten und Senf gekauft, außerdem besaßen wir noch eine halbe Flasche *Wyborowa*. Wir aßen. Wir tranken Wodka. Wir lagen in der Sonne. Jan vertrieb Insekten. Das Wasser tat mir gut, und wenn wir in der Sonne lagen, erzählten wir uns Geschichten.

Jan erzählte zum Beispiel von seiner Familie. Jan hatte noch zwei Brüder, die beide älter waren als er selbst. Der erste Bruder war Ingenieur, und der zweite Bruder war Lehrer. Jans Vater hatte gewollt, daß wenigstens einer von seinen Söhnen Priester wurde, und da es die beiden anderen nicht waren, sollte Jan das werden. Es hatten sich darum eine Menge Streitereien ergeben. Jan war von seinen Eltern fortgelaufen. Er war zu seinem ältesten Bruder gegangen und hatte erst mal Maurer gelernt.

Ich konnte mir Jan ganz gut in dieser Zeit vorstellen. Er hing tagsüber auf Baugerüsten herum und klatschte Mörtel auf Ziegelsteine. Er lernte einen Haufen Leute kennen, mit denen er redete, und abends ging er ins Kino. Es war geradezu naturgesetzlich, daß er auch Mädchen kennenlernte. Mit einem von ihnen freundete er sich an, und das Mädchen war älter als er. Sie war eigentlich auch kein Mädchen mehr, sondern eine Frau. Sie war verheiratet. Jan sagte, er hätte mit ihr einen Roman gehabt. Ich fand diesen Ausdruck umwerfend. Es klang ungeheuer nach Vergangenheit. Ich mußte an *Krieg und Frieden* denken und sah Jan in einem Salon mit viel dunkelblauem Samt und Spitzendeckchen. Jan trug einen knackengen Anzug mit riesengroßer Schleife unterm Kinn, während die Frau, mit der er den Roman hatte, am Klavier saß, Chopin spielte und handgemachte Pralinés aß.

Der Name Ziębiński ist, wie gesagt, in Polen so häufig wie bei uns Meyer oder Schmidt. Daß ich in Polen öfter auf Ziębińskis gestoßen bin, ist also überhaupt kein Wunder. Allerdings waren sie, was nun wieder nichts mit der Häufigkeit von Namen zu tun hat, alle irgendwie Verwandte von Jan. Ich hatte keine Ahnung davon gehabt. Ich erfuhr es erst jetzt. Jan hatte sich ganz einfach an sie gewandt, als er in dem Krankenhaus von Strzelce Opolskie kein freies Bett für mich kriegte. Die Ärztin war die Frau von Jans ältestem Bruder gewesen, dem Ingenieur. Heikel war bloß, daß es auch die Frau gewesen war, mit der Jan seinen Roman gehabt hatte. Man soll so was nicht dramatisieren. Ich konnte trotzdem verstehen, daß Jan keine besondere Lust hatte, in Opole zu bleiben, obwohl wir keine dreihundert Złotych mehr besaßen. Erst mal hockten wir am Ostrand des Turawskie und betrieben Schonung. Es funktionierte ganz hervorragend. Geldmangel kann ein unheimlicher Vorzug sein, vorausgesetzt, es ist Hochsommer und der Geldmangel hat auch mal wieder ein Ende.

38

Nach drei Tagen waren meine Fersen abgeheilt. Ich hatte noch eine Reihe von blauen Flecken, und unser Vermögen bestand inzwischen aus ganzen zweiunddreißig Złotych. Jan hatte keine Lust, einen der vielen Żiębińkis, mit denen er verwandt war, um Geld anzugehen, was ich ganz gut verstand. An dem See Turawskie lag ein Dorf, das hieß Szczedrzyk. In dem Dorf Szczedrzyk, wo wir zweimal Milch gekauft hatten, gab es einen Gemüsebauern namens Kowalski. Der Gemüsebauer Kowalski besaß einen Fiat Hundertfünfundzwanzig-pe. Jan hatte den Gemüsebauern Kowalski aus Szczedrzyk überredet, uns in seinem Fiat mitzunehmen, weil der Gemüsebauer Kowalski an diesem Tage sowieso von Szczedrzyk nach Mikołów fuhr.

Mikołów liegt in Oberschlesien. In Mikołów verkaufte Jan erst mal seinen Fotoapparat in einem staatlichen Kommissionsgeschäft. Jans Fotoapparat war alt und taugte nicht viel, weshalb er auch nicht viel dafür bekam. Der Fotoapparat brachte, sagte Jan, genau einhundertfünfzig Złotych weniger, als er selber hatte bezahlen müssen, als er den Fotoapparat in einem staatlichen Kommissionsgeschäft gekauft hatte. Der Apparat war also wieder dorthin zurückgekehrt, wo er mal hergekommen war. Jan kriegte für ihn fünfhundert Złotych.

Mikołów ist eine Industriestadt und liegt, wie gesagt, in Oberschlesien. Das Zentrum von Oberschlesien heißt Katowice, und eigentlich sind alle anderen Städte in der Nähe von Katowice, zum Beispiel Gliwice, Zabrze und Mysłowice, aber eben auch Mikołów, mit Katowice irgendwie verbunden, weswegen ich genausogut hätte sagen können, Mikołów sei bloß eine Art Vorort von Katowice. In Oberschlesien gibt es Industrie. In Oberschlesien gibt es vor allem Steinkohle. Man könnte geradezu behaupten, ganz Oberschlesien stänke nach Steinkohlenstaub, bloß daß Steinkohle praktisch geruchlos ist und der Staub lieber auf Dächern, Blumen, Fensterbrettern und Katzen liegt. Ich hatte noch nie in meinem Leben Fördertürme und Abraumhalden gesehen. Fördertürme, genauso wie Abraumhalden, sind auf den ersten Blick eindrucksvoll, aber ich könnte mir auch vorstellen, daß sie nach dem tausendsten Blick irgendwie auf die Nerven gehen. In Mikołów gab es neben Abraum und einer breiten Zufahrtsstraße in Richtung auf Katowice zum Beispiel eine Gießerei *imieniem J. Marchlewskiego*. Die Gießerei war nicht groß, und weil sie es nicht war, wurde ihr eine neue Halle gebaut. Jan verhandelte kurz mit dem Bauleiter der Halle, während ich mit unserem Gepäck neben einer Betonmischmaschine stand und mir sieben, acht Sperlinge ansah. Jan verhandelte bloß kurz. Der Bauleiter, soviel konnte ich erkennen, war ungeheuer erfreut, von einer Viertelstunde auf die andere einen neuen Maurer eingestellt zu haben. Jan und ich zogen in ein Arbeiterwohnheim. Das waren zwei bessere Baracken, eine für Frauen und eine für Männer. Trennung war zwar keineswegs das, worauf ich unbedingt gierig war, aber wir hatten erst mal die drei Tage am See Turawskie hinter uns, und das Wohnheim war billig. Außerdem mauerte Jan jeden Tag zwei Schichten. Während der acht Stunden, die ihm dann noch blieben, war es ihm völlig egal, ob er neben Gittie Marczinkowski schlief oder beispielsweise neben dem Baubrigadier Jerzy Stanisław Szyrocki, der rote Haare hatte, Kautabak nahm und Kommunist war. Ich meinerseits mußte deswegen froh sein, daß ich in der Frauenbaracke ein Bett hatte, und ich verbrachte den ersten Tag damit, daß ich nach Katowice und Zabrze fuhr, um mir Fördertürme und Güterwagen mit riesigen Steinkohlenbrocken anzusehen. Obenauf war bei den Güterwagen jedesmal weiße Farbe gekippt, und ich fragte mich, wozu das gut war. Am Abend fragte ich dann auch Jan danach, der aber bloß gähnte, seine zerschundenen Hände ansah und sagte, er habe keine Ahnung. Jan hatte mir für diesen Tag hundert Złotych gegeben, von denen ich mir in Zabrze einen Obstsaft kaufte, der auf polnisch *sok* heißt. In Katowice kaufte ich mir zwei *sok*. Anschließend ging ich in ein Kino, wo der Film *Godfather* mit Marlon Brando lief. Es war die Geschichte von einer Gangsterfamilie, die fortwährend andere erschoß oder selber erschossen wurde, und das alles in Farbe. Ich fand den Film um mindestens eine Stunde zu lang und wunderte mich bloß, wie es Brando fertigbrachte, fortwährend einen Unterbiß zu markieren. Ich stellte mir das ziemlich schwierig vor.

In der Baracke schlief ich zusammen mit einem Mädchen, das kein Wort Deutsch sprach und mich mit riesigen Augen ansah, als wäre ich ein weißer Elefant.

Am nächsten Morgen fand ich es irgendwie irre, in einem Arbeiterwohnheim zu wohnen und selber kein Arbeiter zu sein, sondern bloß jemanden zu haben, der zufällig zwei Schichten hintereinander mauerte. Ich ging in die Gießerei *imieniem J. Marchlewskiego* und suchte nach dem Direktor. Der Direktor hatte kurzgeschnittene graue Haare und sprach Deutsch wie Oma Hela, was mich natürlich sofort erwärmte. Ich sagte ihm, ich würde gerne irgendwas tun. Der Direktor lachte und ließ erst mal zwei Gläser schwarzen Kaffee kommen. Er sagte, die Arbeit in einer Gießerei wäre schwer. Ich sagte ihm, ich hätte genug von Katowice, Zabrze und Fördertürmen gesehen und außerdem brauchte ich Złotych. Der Direktor sagte, das brauchten viele. Ich beschrieb ihm anschaulich den Verlust meines Brustbeutels in einer Fünfzehn-Meter-Kiefer zwischen Strzelce Opolskie und Toszek. Meine Erzählung beeindruckte den Direktor sofort. Er sagte, wir könnten es versuchen, obwohl es eigentlich ziemlich gegen alle Regeln sei, was ich wollte.

Die Gießerei vergoß Leichtmetall. Die Gießerei bestand, solange die zweite Halle noch gebaut wurde, aus einer einzigen Halle. Dort gab es drei Öfen, in denen das Leichtmetall geschmolzen wurde. Die Öfen befanden sich hauptsächlich unter dem Fußboden. Nach oben hin hatten sie ein Loch, in dem Loch befand sich der Schmelztiegel, und darin schmolz das Metall. Daneben gab es noch zirka dreißig Former, die eine Menge schwarzgrauen Sand in Kästen stampften und hinterher mit Hilfe einer Art von gigantischem Löffel Metall hineingossen. Das heißt, in den Kisten war natürlich nicht bloß Sand, sondern auch Luft, und das war nicht irgendwelche Luft, sondern der negative Abdruck von irgendwelchen Holzteilen, und in diese Hohlräume lief hinterher das Metall und sah danach so aus wie das Holzteil. Das klingt alles ungeheuer kompliziert, war aber, wenn man es erst mal gesehen hatte, ziemlich einfach. Das heißt, es war auch wieder nicht so einfach, denn ehe in die Kästen Metall gegossen wurde, mußten die Arbeiter mit allen möglichen Instrumenten den letzten Schliff in den Sand geben und weißen Puder daraufstreuen. Wenn man sie so sah, wirkten sie hundertprozentig wie Künstler.

Der Direktor verpaßte mir eine viel zu große Arbeitskluft und stellte mich in die Gießereihalle. Ich mußte, wenn die Kästen vollgegossen und ein bißchen abgekühlt waren, mit einem Hammer an die Rahmen schlagen, damit der Sand und das fertige Gußstück herausfielen. Dann mußte ich den Sand, der klumpig war, in eine Schubkarre schaufeln und zu einer Maschine fahren. Die Maschine war dazu da, klumpigen Sand wieder zu normalem Sand zu zerkleinern. Für diesen Zweck mußte man den klumpigen Sand in einen Trichter schaufeln. Der normale Sand wurde mit der Schubkarre zurück zu den Arbeitern gefahren, die ihn wieder in ihre Kisten stampften. Der Direktor hatte mir gesagt, Gießerei wäre eine ziemlich schwere Arbeit, und nach ungefähr einer Stunde konnte ich ihm das vollauf bestätigen.

Nach drei Stunden spürte ich alle Muskeln und die meisten meiner Gelenke. Meine Finger waren krumm, und ich konnte sie nur geradebiegen, wenn ich sie zwischen die Knie preßte, was vermutlich saublöde aussah. Nach fünf Stunden wäre ich fast soweit gewesen, dem Direktor seine Kluft zurückzubringen und ihm zu bestätigen, daß er ein ungeheuer ehrlicher Mann wäre.

Ich tat das dann doch nicht, und der erste Grund war, daß ich Jan nicht allein schuften lassen wollte, während ich beispielsweise jeden Tag nach Katowice fuhr, *sok* trank und mir nach *Godfather* womöglich auch noch *Love Story* und eine Menge ähnliches Zeug antat. Außerdem war es so, daß mir die Leute in der Halle irgendwie gefielen. Sie hatten ziemlich schnell heraus, wer ich war. Das ergab sich einfach, weil ich ein-, zweimal angesprochen wurde und sagen mußte, ich verstände kein Wort Polnisch. Das machte keine Sensation, aber allmählich schien es sich herumzusprechen, und die Leute sahen mir nach. Sie machten das nicht aufdringlich. Sie quollen nicht über vor Scheißfreundlichkeit oder Ekel. Sie wunderten sich eben bißchen, und wenn sie mich komisch fanden, zeigten sie das jedenfalls nicht. Ich bin mir selten in meinem Leben so normal vorgekommen wie in dieser Halle, und dabei war, daß ich in dieser Halle herumhing, vollkommen unnormal.

Nach dem ersten Tag wollte ich eigentlich Jan von seiner Schicht abholen, aber erst mal legte ich mich auf mein Bett, weil ja noch Zeit war, und als ich wieder aufwachte, hatte ich die ganze Nacht durchgeschlafen, und es blieb mir gerade noch so viel, aus der Baracke in die Gießerei zu laufen, was ein Fußweg von ungefähr zehn Minuten war.

39

Ich habe genau acht Kalendertage in der Halle gearbeitet. Daß ich
das durchhielt, hängt unter anderem mit Zofia zusammen. Es
war ja nicht so, daß ich der einzige Mensch in der Gießerei gewesen wäre, der Kisten ausgekloppt und Sand geschaufelt hätte.
Insgesamt gab es acht Leute, die so was taten, und außer mir gab
es noch ein anderes Mädchen.

Sie hatte die breitesten Schultern, die ich je bei einer Frau gesehen
hatte, und sie war allermindestens zwei Köpfe größer als ich.
Dabei sah sie keinesfalls häßlich aus. Sie war eigentlich hübsch.
Es war eine etwas brutale Schönheit, aber erstens hatte sie ganz
behutsame Augen, und zweitens half sie mir schon am zweiten
Tag bei der Arbeit, was mich sofort für sie einnahm. Es war auch
sonst so, daß manchmal zwei von den Hilfskräften irgendwas
gemeinsam taten, wenn es sich gerade ergab. Aber sie war dann
dauernd bei mir, und ich muß sagen, daß sie bei allen Arbeiten
mindestens zwei Drittel tat, und mir blieb der Rest. Am zweiten
Tag deutete sie mit dem Finger auf sich und nannte ihren Namen,
wodurch ich mitbekam, daß sie Zofia hieß und außerdem kein
Deutsch verstand.

Sie wohnte in der gleichen Wohnbaracke wie ich, und weil in den
Raum, wo sie schlief, ein Bett frei war, packte ich meine Klamotten und zog zu ihr. Sie hatte ihre Eltern und acht Geschwister in
einem Dorf nicht weit von Wałbrzych. Sie hatte zwei Kinder. Sie
hatte für die Kinder keinen Vater. Sie hing an ihren Kindern
in der Art, wie Leopardenmütter an ihren Kindern hängen.
Sie ging sonntags zur Kirche. Sie war vielleicht der gut-
mütigste Mensch, den ich je getroffen habe. Ohne sie wäre ich
in der Gießerei an die hundertmal zusammengebrochen,
sachlich. Dabei konnte ich kein Wort mit ihr reden, bloß herum-
fuchteln und mir die Fotos ansehen, die sie unter dem Kopfkissen hatte, in einem Briefumschlag. Ich brauchte ungefähr vier
Tage, um alles zu verstehen, was sie mir über sich mitteilen
wollte. Insgesamt habe ich mich selten so geschunden wie in

diesen acht Tagen, aber ich fand auch selten die Welt so in Ordnung.

Ich sah Jan immer bloß abends nach seiner zweiten Schicht. Es war dann der abgekämpfteste Jan, den es je gab. Als ein Sonntag kam, fuhr Jan eine Sonntagsschicht. Zofia ging zu nachtschlafender Zeit in die Messe. Hinterher fuhr sie in ihr Dorf und holte ihre beiden Kinder. Ich fuhr am Mittag nach Katowice. Ich traf Zofia am Bahnhof, wo sie mit ihren beiden Kindern stand. Die Kinder waren zwei schüchterne blonde Jungen von vier und sechs. Neben ihrer Mutter wirkten sie ungeheuer winzig. Ich ging mit Zofia und ihren beiden Kindern Eis und Kuchen essen. Ich überwand wegen der Kinder meine Abneigung gegen Eis, das auf polnisch *lody* heißt. Hinterher gingen wir auf einen Rummel. Wir fuhren Karussell, zogen Lose und gingen zur Luftschaukel. Zofia schaukelte erstklassig, und ich hatte dabei ihre beiden Kinder an der Hand. Wir sahen zu, wie sich Zofia mit ihrem Schaukelkahn überschlug, und uns war allen dreien schwindlig. Es war ein enormes Gedränge. Aus allen Lautsprechern kamen Beatles-Schlager und die letzten Sachen von Tom Jones und Tony Christie, die mir zu schnulzig sind. Zofia kehrte von der Luftschaukel zurück und kam mir ungeheuer glücklich vor. Ich könnte mir denken, daß ich sie in diesem Augenblick beneidet habe. Wir gingen noch Blechbüchsen einwerfen und fuhren Geisterbahn und Autoscooter. Wir kauften gebrannte Mandeln. Zofias Kinder hatten am Ende Luftballons, Papierblumen und einen Stoffbären. Es wurde Abend, und ich brachte Zofia zum Bahnhof. Sie würde ihre Kinder zurückbringen in das Dorf nahe Wałbrzych. Sie würde in der Nacht zurückfahren und gerade am Morgen wieder rechtzeitig zur Arbeit kommen.

Ich ging vom Bahnhof fort. Katowice roch enorm nach irgendwelchen Abgasen. Ich ging bis zur Omnibushaltestelle. Quer durch Katowice geht eine Fernstraße, die von Westen kommt und weiterführt nach Krakau. Auf dem Weg zu der Haltestelle kam ich an einem Menschenauflauf vorbei. Ich sah Polizeiwagen mit eingestelltem Blaulicht. Ich wollte möglichst schnell durch den Menschenauflauf hindurch. Es passierte dann doch, daß ich etwas sah, und das brachte mich dazu, daß ich stehenblieb.

Ich sah einen völlig zerbeulten Wagen. Er war silbergrau, und ich konnte die Metallbuchstaben *Plymouth* lesen. Der Wagen sah schlimm aus, und ich glaube, die Insassen hatten keine Chance mehr gehabt. Vielleicht gibt es viele silbergraue *Plymouth,* sogar in Polen. Ich hoffte es irgendwie. Ich fragte trotzdem ein paar Leute, ob sie mir Auskunft geben konnten. Die Leute, die ich fragte, verstanden entweder kein Deutsch, oder sie hatten den Unfall nicht gesehen und wußten nichts über die Insassen des havarierten Wagens. Ich hoffte inständig, daß der Besitzer des *Plymouth* nicht Gould geheißen habe. Ich kam trotzdem nicht von dem Gedanken los, daß dieser Wagen von Legnica gekommen war, um über Katowice weiter nach Osten zu fahren, Auschwitz und Zakopane. Tod ist eine furchtbare und sinnlose Sache. Vielleicht war der Mann, der Gould hieß, insgeheim in dieses Land zurückgekommen, um zu sterben. Er hatte es immer gewollt und war deswegen traurig gewesen. Er hatte Heimweh gehabt. Ich sah einen Kranwagen, der heranfuhr, um den zertrümmerten *Plymouth* abzuschleppen. Ich ging davon und ging zu der Haltestelle, wo der Omnibus nach Mikołów abfuhr.

40

Jan und ich verbrachten insgesamt zehn Tage in Mikołów. Danach gingen wir jeder und holten unseren Lohn. Zusammen mit dem Geld, das Jan für den Verkauf seines Fotoapparats bekommen hatte, besaßen wir eintausendsiebenhundert Złotych. Es war genug, um damit nach Jarosław zu fahren und eine Weile dort zu bleiben. Ich überredete Jan, zu dem staatlichen Kommissionsladen zu gehen, wo er den Fotoapparat zurückkaufen sollte. Schließlich brauchte er ihn, wenn er Bilder von Backsteingotik machen wollte. Jan hatte erst überhaupt keine Lust dazu, und wir stritten uns ein bißchen. Als ich ihn schließlich soweit hatte, war sein Fotoapparat schon verkauft. Ich konnte Jan nicht dazu bringen, einen anderen Apparat zu nehmen. Ich redete eine Viertelstunde auf ihn ein, aber er blieb unerschütterlich.
Wir packten in dem Wohnheim unsere Sachen. Ich verabschiedete mich von Zofia. Sie heulte furchtbar zum Abschied und drückte mich, daß ich das Gefühl hatte, mir zersprängen sämtliche Gelenke.
Wir fuhren Omnibus bis zum Stadtrand, und weil wir keine Lust hatten, unser schwerverdientes Geld für weitere Fahrkarten auszugeben, stellten wir uns wieder an den Rand der Landstraße. Wir standen eine Viertelstunde, da hielt ein Motorrad mit Beiwagen. Auf dem Motorrad saß ein Mann mit Sturzhelm und Brille. Jan verhandelte kurz mit ihm. Der Mann setzte mich und das Gepäck in den Beiwagen. Jan stieg auf den Soziussitz.
Motorräder sind so ziemlich die fürchterlichsten Fahrzeuge, die ich mir denken kann. Sie machen ungeheuren Lärm. Wenn das schon bei allen Motorrädern so ist, dann war das bei dem Motorrad, in dessen Beiwagen ich jetzt fuhr, ganz besonders der Fall. Es handelte sich garantiert um eine der ältesten Maschinen von Europa. Ich sah das auf den ersten Blick, obwohl ich so gut wie nichts von Motorfahrzeugen verstehe und auch nichts davon verstehen möchte.
Wir fuhren von Katowice über Mysłowice nach Jaworzno. Wir

fuhren durch Jaworzno durch und fuhren weiter in Richtung Chrzanów. Es war ein trüber Tag, aber dabei war es schwül, und in der Luft hing immer mal wieder ein Gewitter. Hinter Mysłowice hörten übrigens die Abraumhalden auf. Es gab keine Steinkohle mehr. Ich hatte zehn Tage in der Nähe von Steinkohle gelebt und mich allmählich so daran gewöhnt, daß es mir völlig normal erschienen wäre, wenn die ganze Welt oder wenigstens das halbe Polen aus Fördertürmen und Güterwagen voll Steinkohlebrocken mit weißer Farbe darauf bestanden hätte. Wozu die weiße Farbe gut war, wußte ich immer noch nicht.

Jedenfalls mußte ich mir erst mal die Augen reiben, weil es plötzlich wieder Wiesen gab, die so grün waren, wie Grün nur sein kann. Es gab daneben Felder, ich sah Pferde und Bauern und Erdwege und Kühe. Im Hintergrund gab es offenbar Hügel, aber ich will mich nicht festlegen, weil es ebensogut Wolken sein konnten. Es war, wie gesagt, ein trüber Tag, und in der Luft hing ein Gewitter.

Aber diese Luft schmeckte überhaupt nicht mehr nach Kohlenrauch. Über den Feldern segelten irgendwelche Vögel, ziemlich niedrig. Die Luft hätte wahrscheinlich nach Heu und Lindenfrüchten schmecken müssen, wenn sie nicht überwiegend nach Benzin-Ölgemisch geschmeckt hätte, denn mein Kopf war unmittelbar neben dem Motorradtank.

Im allgemeinen sind Motorräder dazu konstruiert, auf insgesamt zwei Rädern unheimlich schnell zu fahren, was sich infolge des geringen Luftwiderstandes auch machen läßt. Insofern ist ein Beiwagen eine vielleicht nützliche, aber völlig prinzipwidrige Angelegenheit. Außerdem hatte das Motorrad, in dessen Beiwagen ich saß, seine beste Zeit entschieden hinter sich. Ich will damit bloß erklären, daß wir nicht besonders schnell vorankamen, sondern von Katowice bis Chrzanów beinahe zwei Stunden brauchten. Mir hätte das sonst überhaupt nichts ausgemacht, aber das Gewitter am Himmel bot keinen guten Anblick. Der Beiwagen hatte keine Schutzplane, und der Gedanke an polnische Gewitter erfüllte mich sowieso mit hochgradigem Entsetzen. Auch wenn hier in der Nähe keine Kiefern wuch-

sen, bloß Laubbäume, und meine Fersen längst in Ordnung
waren.

Das Motorrad schien von Gewittern eine ähnliche Meinung zu
haben wie ich, denn plötzlich bekam es Zustände. Sein Motor
fing erst mal an zu husten, er hustete drei, vier Sekunden hintereinander und gab dann überhaupt keinen Ton mehr von sich. Das
ganze Ding rollte noch zirka sieben Meter und war danach sichtlich entschlossen, es keinen weiteren Zentimeter mehr zu tun.
Der Fahrer, der uns aufgelesen hatte, geriet keinesfalls in Panik.
Erst mal sagte er uns, wir sollten von unseren Sitzen herunter,
was wir auch taten. Dann nahm er ganz lässig Helm und Brille
ab. Er zeigte sich darunter als ein Mann, der ungefähr fünfzig
war, also steinalt, aber noch vollständig dunkle Haare hatte, die
zeimlich dicht und irgendwie kraus waren und die er ziemlich
kurz trug, ohne daß er deswegen etwa geschoren aussah. Der
Mann holte zwei Werkzeuge aus dem Seitenwagen und hantierte
damit an seinem Motorrad herum. Er sah ziemlich fachmännisch
und ungeheuer überlegen aus. Am Himmel hatten sich zwei Gewitter zusammengetan und rutschten allmählich in unsere Richtung. Der Mann setzte sich auf seinen Sitz und trat den Anlasser.
Er trat ihn ungefähr zwanzigmal. Das Motorrad machte jedesmal
ein kurzes Geräusch, aber von einem normalen und anhaltenden
Motorengeräusch konnte keine Rede sein. Der Mann stieg wieder von seinem Sitz und sagte, und zwar sagte er es auf deutsch,
die Kiste sei ernsthaft in Unordnung und sie sei auch ziemlich alt.
Es war genau das, was ich längst vermutet hatte.

Der Mann fragte uns, ob wir ihm helfen könnten, das Ding zu
schieben. Es war zwar nicht das, was wir uns vorgestellt hatten,
als wir in die Maschine eingestiegen waren, aber es schien uns
schäbig, den Mann mit seiner Panne allein zu lassen. Dazu hatte
er zum Beispiel eine viel zu angenehme Stimme. Wenn er
Deutsch sprach, hatte der Mann das allervollkommenste Oma-
Hela-Deutsch. Man kann sich Jarosław auch in Zentimetern nä-
hern. Das Gewitter am Himmel, das aus zwei Gewittern zu-
sammengewachsen war, drehte sich erst mal knurrend um sich
selbst. Der Mann sagte mit seiner angenehmen Stimme, seine

Wohnung wäre nicht mehr weit. Ich will nicht zu ausführlich werden. Da wir zu dritt schoben, kamen wir mit dem Motorrad ungefähr halb so schnell voran, als wären wir ohne Motorrad und zu Fuß gegangen. Die Straße war eben. Das Gewitter ließ überm Horizont drei, vier Blitze ab. Wir kamen enorm ins Schwitzen. Als aus dem Himmel die ersten Wassertropfen fielen, ungeheure Dinger, rollten wir auf ein einzelnes Bauernhaus zu. Es war lang und flach, hatte einen Ziehbrunnen und war außen in einem tollen Blau gestrichen. Es war das Haus, in dem der Mann wohnte, dessen Motorrad wir schoben. Der Mann sperrte die Haustür auf und sagte, er würde uns erst mal einen Kaffee kochen.

Ich hatte vorher so ein Haus noch nie gesehen. Innen wirkte es noch viel größer als außen, und es bestand vor allem aus einem riesigen Raum. Dort gab es ein vollständig zerbeultes Ledersofa, drei Sessel aus insgesamt sieben Jahrhunderten, viel Platz, eine Gitarre und viel buntes Zeug. Ich sage: buntes Zeug, weil auf den ersten Blick überhaupt nicht auszumachen war, worum es sich eigentlich handelte. Es sah aus wie bemalte Wurzeln. Es sah aus wie irgendwelche Totempfähle von Amazonasindianern. Es war jedenfalls aus Holz und alles enorm bunt. Ich kapierte überhaupt nichts. Mich beeindruckte vor allem die Gitarre, die auf dem zerbeulten Ledersofa lag und eine gewöhnliche Allerweltsgitarre war. Dagegen schien sich Jan mit dem bemalten Holz auszukennen. Er musterte es kurz, und ich sah dabei, wie sein Gesicht einen eindeutigen Zug von Ehrfurcht kriegte. Der Mann kam mit einem Holztablett und drei Gläsern heißem Kaffee. Das Holztablett war reine Dutzendware und schon ziemlich abgenutzt. Draußen ging das Gewitter herunter, und die Fensterscheiben waren voller Wasser. Ich fand das Haus, in dem ich mich befand, unheimlich gut.

41

Kazimierz Gerhart gehört vermutlich zu den aufregendsten Leuten, mit denen ich jemals zu tun hatte, und ich habe die Absicht, an dieser Stelle alles zu erzählen, was ich von ihm weiß. Das bedeutet nicht, ich hätte diese Dinge selber so hintereinander erfahren. Kazimierz Gerhart erzählte von sich, wenn es ihm gerade einfiel, und dann immer bloß die eine oder andere Sache. Ich glaube, er erzählte überhaupt nicht gern, und besonders wenig gern erzählte er über sich. Wenn er nicht gerade seine Arbeit machte, spielte er am liebsten Gitarre, was mich persönlich unheimlich für ihn einnahm.

Wer Kazimierz Gerhart sieht, wie ich ihn gesehen habe, wird ihn vielleicht für einen Holzfäller halten oder einen Bergbauern oder beides, und wie das so ist, würde dann auch jeder annehmen, daß seine Eltern Bergbauern oder Holzfäller gewesen sind. Aber Gerharts Vater hatte mit Wäldern und Kuhweiden ungefähr soviel zu tun wie mein eigener Vater beispielsweise mit Rechtswissenschaft. Mein Greis befaßt sich mit Biologie, Chemie und Pillen in Berlin-Buch. Dafür war der Vater von Kazimierz Gerhart Rechtswissenschaftler gewesen, und er muß darin sogar richtig gut gewesen sein, denn er war gleich noch Professor gewesen, und zwar an einer Universität, und die war in Warschau.

Kazimierz Gerharts Vater war also Rechtswissenschaftsprofessor gewesen, und daneben hatte er einen Haufen Geld gehabt. Er besaß die Hälfte von einer Fabrik für Baumwollstoffe in Lódź, und er besaß ein kleines Landgut ziemlich weit östlich von Warschau, und in Warschau besaß er eine klotzige Villa mit insgesamt fünf Hausangestellten. Ich würde jetzt sagen, nach allem, was ich in der Penne und in Stabü gelernt hatte, mußte einer, der so gottverdammt bürgerlich aufwächst, auch wieder ein gottverdammter Bürgerlicher werden, weil ja irgendwie das Sein das Bewußtsein bestimmt. Ich kann nicht ausschließen, daß es bei Kazimierz Gerhart die ersten fünfzehn Jahre seines Lebens auch so gewesen ist. Sagen wir: siebzehn Jahre. Er hat uns aus dieser Zeit nie besonders viel erzählt. Aber danach war es so, daß die Sache mit Sein und Bewußtsein entweder nicht mehr stimmt oder Kazimierz Gerhart eine ungeheure Ausnahme darstellt. Wie das ist in solchen Familien, sollte er nämlich auch Rechtswissenschaften studieren. Er ließ sich sogar an der Universität einschreiben, und zwar nicht in Warschau, wo es ihm entschieden zu viel Vater gab, sondern in Łódź, wo es von seinem Vater bloß eine Baumwollfabrik gab, genaugenommen nur eine halbe, und außer dieser Baumwollfabrik und vielen anderen Baumwollfabriken gab es in Łódź auch eine Universität. Kazimierz Gerhart hatte sich zwar für Rechtswissenschaften einschreiben lassen, aber erst einmal studierte er eine Menge anderer Fächer, die überhaupt nichts mit Rechtswissenschaften zu tun hatten, und manchmal studierte er auch wieder nicht. Jedenfalls fand ungefähr vierzehn Monate, nachdem er sich in Łódź hatte einschreiben lassen, eine Demonstration statt von allen möglichen Leuten, aber hauptsächlich Arbeitern aus Textilfabriken. Die Demonstration war von der Polizei nicht erlaubt gewesen, und deswegen ging die Polizei mit Pferden und mit Schlagstöcken dazwischen. Die Demonstranten wehrten sich dagegen, und deswegen kam es zu Verhaftungen, und unter denen, die verhaftet wurden, war eben Kazimierz Gerhart.

Man kann sich vorstellen, daß sein Vater, der nicht bloß Rechtswissenschaftler war, sondern auch eine halbe Baumwollfabrik in Łódź besaß, überhaupt nicht selig war über das, was er da von seinem Sohn hörte. Ich vermute, es hat zwischen Vater und Sohn ein paar sachliche Auseinandersetzungen gegeben. Kazimierz Gerhart hat mir darüber nichts erzählt, und ich habe ihn nicht danach gefragt. Sagen wir ruhig, sie stritten sich fünf Abende lang oder meinethalben ein Vierteljahr. Das Ergebnis war aber, daß Kazimierz Gerhart in seinem Leben nie wieder eine Zeile Rechtswissenschaft gelesen hat und auch auf die halbe Baumwollfabrik in Łódź, bei der er ja irgendwelche Besitz- und Erbrechte hatte, jede Menge pfiff, von dem Landgut östlich Warschaus ganz zu schweigen.

Kazimierz Gerhart war in den folgenden drei Jahren: Kohlenschipper, Hafentrimmer, Nachtwächter, Krankenpfleger, Zeitungshändler und Tierwärter in einem Wanderzirkus. Kazimierz Gerhart kam in diesen drei Jahren mit seinen verschiedenen Berufen nach Italien, Frankreich, Irland, England und Kanada. Er sprach außer Polnisch noch Italienisch, Englisch, Französisch, Spanisch und Deutsch mehr oder weniger gut.

Er erzählte von seinem Aufenthalt in Paris. Ich glaube, an Frankreich dachte er besonders gern zurück, obwohl er dort zuletzt weder Zeitungsverkäufer noch Krankenpfleger gewesen war, sondern gar nichts. Er erzählte uns, wie er in einem Hotel gewohnt hatte, das in einem fünfhundertjährigen Haus untergebracht war, und während der fünfhundert Jahre war in dem Haus garantiert nie was Entscheidendes repariert worden, und jeder erwartete, daß es demnächst zusammenfiel. Er lebte dort gemeinsam mit Deutschen, Amerikanern und Korsen. Er hatte so gut wie überhaupt kein Geld. Er hing, wenn es regnete, in den Schächten der Untergrundbahn herum. Er kriegte einen Vier-Tage-Job als Transportarbeiter am Seine-Hafen und lebte von dem Geld vierzehn Tage. Er strolchte in dem Viertel herum, wo die Maler wohnten. Er klebte an den Schaufensterscheiben von irgendwelchen Galerien, um zu sehen, was es dort an Bildern gab. Er las fortgeworfene Zeitungen auf, strich sie glatt, um erfahren zu können, was in der Welt passierte. Er hing in den Museen herum an den Tagen, wo der Eintritt dort kein Geld kostete. Er lebte vier Wochen lang von nichts als einem belegten Brötchen pro Tag und dem, was er in den Müllkübeln der teuren Restaurants an Resten in den Krebsschalen fand, oder er hing in den Markthallen herum und stöberte nach Obstabfällen. Er ließ seine Beine über die Uferbefestigungen hängen und sah sich Sonne, Motorboote und Angler an. Es war eine elende Zeit, aber er schwärmte von Paris. Er spielte uns auf der Gitarre die Lieder von damals vor. Ich kannte überhaupt nichts davon. Die Lieder klangen ein bißchen zuckerig und jedenfalls ziemlich alt. Er kriegte beinahe glasige Augen, wenn er Namen wie Piaf, Trenet und Josephine Baker sagte.

Er ging, als in Spanien der Bürgerkrieg anfing, nach Barcelona. Über den spanischen Bürgerkrieg wußte ich einigermaßen Bescheid durch Robert Jordan und Hemingway. Kazimierz Gerhart hatte Hemingway sogar persönlich getroffen, und er kannte auch das Mädchen, mit dem Hemingway damals gelebt hatte und das nachher das Kaninchen in Hemingways Buch wurde. In mir rührte sich eine Menge, als ich das hörte. Ich kann sagen, es war in mir ein Gefühl wie Milch, Sonne und Wodka. Er beschrieb uns, wie Hemingway am Tresen von einer spanischen Kneipe hockte, an den Wänden waren die grellbunten Plakate von Stierkämpfern, in der Kneipe hockten und standen republikanische Soldaten in Uniform, Zeitungsleute, Filmleute, Ausländer, und an der Theke hockte Hemingway, und in der Hand hatte er ein halbvolles Glas mit Traubenschnaps, und die andere Hand hatte er auf dem Hals des Mädchens, und er redete und lachte, und ein angetrunkener Kerl in der Kneipe trommelte kunstvoll auf eine Tischplatte und sang dazu Lieder aus Andalusien.

Kazimierz Gerhart erzählte von den Schlachten, an denen er teilgenommen hatte, von dem Grabenkrieg vor Madrid, von den Dörfern mit ihrer Armut und ihrer Sonne und den Toten, die auf den Dorfplätzen lagen, erschossen von den Putschisten, ehe sie die Dörfer verlassen hatten, Leichen, auf deren Augen dunkelgrüne und schillernde Aasfliegen saßen. Er erzählte von Landschaften, von tagelangen Märschen, von Verwundungen, Tapferkeit, Müdigkeit, von den Flugzeugangriffen der Deutschen und Italiener, er erzählte von dem Stolz und der düsteren Traurigkeit der einfachen Leute in Spanien. Er spielte auf seiner Gitarre Lieder aus Spanien, von denen ich eins oder zwei kannte, aber er kannte vielleicht ein Dutzend, er spielte sie uns vor und sang.

Er war nach drei Jahren Bürgerkrieg über die Pyrenäen wieder nach Frankreich gekommen. Er lebte in der Nähe der Pyrenäen, in einer Stadt, die Perpignan hieß, er war Arbeiter in einer Fischfabrik, als der Krieg ausbrach. Er fuhr nach England. Er wurde Soldat bei den polnischen Truppen in England. Er war einer der ersten, die aus einem englischen Flugzeug mit dem Fallschirm über dem von den Deutschen besetzten Polen absprangen.

Er lebte ein halbes Jahr im Untergrund. Die Deutschen fingen ihn und steckten ihn in ein Gefängnis. Er floh aus dem Gefängnis und ging nach Warschau und lebte mit falschen Papieren in Warschau. Er fühlte sich als Soldat, und er gehörte zu denen, die im Warschauer Untergrund eine geheime Armee aufbauten. Die Deutschen verhafteten ihn wieder und brachten ihn nach Auschwitz. Er floh auch aus Auschwitz und lebte ein halbes Jahr in der Tatra bei Bergbauern, die ihn verbargen und deren Gehöft so abgelegen war, daß die Deutschen Mühe gehabt hätten, ihn dort zu finden. Er vertrieb sich die Langeweile damit, daß er mit dem Messer irgendwelche Hölzer zurechtschnitt. Nach dem halben Jahr war er wieder in Warschau. Er hatte zum zweitenmal einen falschen Namen. In Warschau brach ein militärischer Aufstand gegen die Deutschen los. Er nahm daran teil. Er beschrieb mir die Stadt vor dem Aufstand und danach. Vorher gab es Hunger, Verfolgungen, Angst, Heimlichkeit, Haß, graue Tage und aufregende Nächte. Als der Aufstand anfing, gab es ein paar Tage, an denen die Leute besoffen waren vor Freiheit. Dann brachten die Deutschen Geschütze, Soldaten und Panzer zusammen und schossen den Aufstand nieder. Er erzählte Dinge aus diesen Tagen, die grauenvoll waren. Er beschrieb uns die Schießereien von einer Straßenseite zur anderen und die toten Kinder, die dabei auf der Fahrbahn lagen. Er erzählte, wie sich Feuer und Dynamit von einem Stadtteil zum nächsten fraßen, und durch alles hindurch floß ein flacher gelbbrauner Fluß, der Weichsel hieß. Als der Aufstand zu Ende war und die aufständische Armee in die Gefangenschaft marschieren sollte, konnte er sich verdrücken. Er schwamm irgendwo durch das eiskalte Weichselwasser und holte sich dabei eine Lungenentzündung und ließ sich in einem Partisanenlager gesundpflegen. Er ging zur Roten Armee und wurde Soldat der polnischen *Armia Ludowa*, auf diese Weise kam er über die Weichsel zurück nach Warschau. Er beschrieb uns Warschau, wie er es dann sah: eine Stadt ohne Häuser und ohne Menschen, es gab nur geschwärzte Steine, Gestank und Ratten.

Er wurde nach dem Krieg Bürgermeister in einer Kreisstadt, und dann zog er in ein blaugestrichenes Bauernhaus in Galizien, das keinem mehr gehörte. Er tat wieder das, was er ein halbes Jahr hindurch bei einem Bergbauern in der Hohen Tatra getan hatte: Er schnitzte Holz zurecht, nur daß es diesmal Wurzeln waren oder große Äste, die er sich aus den Wäldern holte; er schnitt sie zurecht, und hinterher bemalte er sie. Seine Schnitzereien waren bunt und düster und stellten nichts anderes dar als geschnitzte Holzstücke mit Farben. Sieben Jahre hindurch interessierte sich kein Mensch für seine Schnitzereien. Er schnitzte und malte und stellte das, was fertig war, in die Schuppen und Stallungen und Räume seines Bauernhauses. Es blieb ziemlich unklar, wovon er in dieser Zeit gelebt hatte. Man konnte ihn fragen, aber er hatte einfach keine Antworten darauf. Vielleicht ließen ihm die Bauern in den Dörfern, die rundum lagen, irgendwas zukommen. Vielleicht lebte er von Frauen. Vielleicht hielt er sich selber Ziegen und Schafe und zog Rüben auf einem Gartenstück. Er sagte nur, er hätte immer wieder Angebote gehabt, in der Verwaltung zu arbeiten, aber er hätte sie immer wieder abgelehnt. Es war ihm viel wichtiger gewesen, seine Hölzer zu schnitzen und hinterher Farben darauf zu malen.

Man sah seinem Gesicht an, daß er eine Menge erlebt hatte, aber man sah ihm nicht an, daß er beinahe sechzig war, und sein Haar, wie gesagt, war noch vollkommen dunkel. Ich könnte mir denken, daß es in Polen und in ganz Europa ein paar Kinder gibt, deren Vater er ist, ohne daß er es weiß und ohne daß die Kinder es wissen, aber sie können glücklich sein, sage ich, einen solchen Vater zu haben.

Inzwischen war er übrigens ein berühmter Mann. Vor siebzehn Jahren hatte er zum erstenmal einen Lastwagen mit seinen Schnitzereien vollgepackt und ihn nach Warschau fahren lassen. Er hatte die Sachen in einem Saal aufgestellt, und die Leute, die von solchen Sachen was verstanden, waren hingerissen. Es kamen auch Leute aus dem Ausland, die von solchen Sachen was verstanden, und kauften seine Schnitzereien. Es standen Arbeiten von ihm in polnischen und in ausländischen Museen. Er erzählte uns, daß er vor ein paar Jahren eine Ausstellung in einer Pariser Galerie gehabt hatte. Er war hingefahren. Es war keine der Galerien, die er aus der Zeit kannte, als er selber in Paris gelebt hatte, aber sie befand sich in einer breiten Straße, über die er früher oft gegangen war. Er suchte das alte Hotel, in dem er damals gelebt hatte, und er fand statt dessen eine ungeheuer teure Kneipe, in der lauter Amerikaner und Westdeutsche saßen. Er sah, wie sich in der Galerie vor seinen Sachen ein Haufen Leute mit feinen Hüten aufstellte, und das kotzte ihn derartig an, daß er in die nächste Stehkneipe lief, wo er sich mit einer Unmenge Apfelschnaps betrank; anschließend nahm er das nächste Flugzeug zurück nach Warschau.

Genau so, wie es unklar gewesen war, wovon er während der ersten sieben Jahre gelebt hatte, war es jetzt unklar, was er mit dem Geld anfing, das er verdiente. Er besaß ein blaugestrichenes Bauernhaus, ein uraltes Motorrad mit Beiwagen, ein durchgesessenes Ledersofa und eine Gitarre. Er lief in dunklen Pullovern herum. Er rauchte in einem fort Zigaretten, die ihm an der Unterlippe klebten und aussahen, als wären sie ein organischer Teil seines Gesichts. Er besorgte sich seine Äste und Wurzeln, er schnitzte daran und bemalte sie mit bunten Farben. Er hatte acht Katzen, die aber meistens unterwegs waren.

Ich sah mir die Sachen an, die in seinem Hause standen, an denen er arbeitete und die er gerade fertig hatte. Wenn ich lange genug darauf geblickt hatte, kam es mir vor, als wären das Menschen oder Zäune oder Tiere oder Wälder in komischer Beleuchtung. Sie waren Paris, die Pyrenäen, Madrid und Barcelona. Sie waren das alles zusammen und nichts davon. Sie waren Arbeiten von Kazimierz Gerhart. Sie waren Dinge, neben denen ich mich wohl fühlte oder vor denen ich erschrak, ich konnte beides. Es war zuletzt beinahe so, daß ich das brauchte, und hinterher fehlte es mir, als ich es nicht mehr sah. Auf jeden Fall wäre mir irgendwas Entscheidendes verlorengegangen, wenn ich es nie gesehen hätte, sachlich.

Kazimierz Gerhart rauchte, daß alles in seinem Haus nach Zigarettenqualm roch. Es störte mich nicht. Er trank Unmengen Tee. Er redete und redete nicht. Er arbeitete sieben Stunden am Tag ohne Unterbrechung. Er trank literweise Tee dabei. Hinterher saß er auf seinem Ledersofa und spielte Gitarre. Lieder aus Frankreich, Spanien oder Polen. Irgendwelche Lieder. Ich konnte ihm stundenlang zuhören.

42

Europäisches Festlandklima soll heiße und trockene Sommer bringen und an Niederschlägen höchstens Gewitter. Ich sage das noch mal und sage das so, wie ich es gelernt habe. Ich sage nicht, daß ich Experte bin. Ich hatte bereits vierzehn Tage erstklassiges Festlandklima erlebt. Vielleicht sollte ich, nachdem ich das Prinzip richtig satt genossen hatte, jetzt zur Abwechslung mal die Ausnahme kennenlernen.

Ich sage, wir waren vor einem Gewitter in das blaugestrichene Haus von Kazimierz Gerhart gelaufen. Wir konnten zirka zwei Stunden bewundern, was intensive Regengüsse mit Fensterscheiben machen. Danach war Pause. Sagen wir: fünfzig Minuten maximal. Danach fing wieder Regen an, und nach vier, fünf Stunden hatte ich keine Lust mehr, auf den Donner zu hören, der sowieso immer seltener wurde. Ich hatte, sage ich lieber, keine Lust mehr, darüber nachzudenken, ob das jetzt Gewitter war oder bloß noch Regen oder Regen mit Spuren von Gewitter oder so was. Ich sage, es sollte geschlagene sechs Tage hintereinander regnen und danach immer noch nicht aufhören.

Es war aber erst mal so, daß wir, als wir in Kazimierz Gerharts blaugestrichenes Bauernhaus kamen, vollkommen verschwitzt waren. Es gab in dem Haus keine Wasserleitung. Es gab einen Ziehbrunnen vor dem Haus. Es wäre vollkommen idiotisch gewesen, zu dem Ziehbrunnen zu gehen, weil das, was sich darin hochziehen ließ, augenblicklich sowieso und ohne Ziehbrunnen in die Holzeimer lief. Kazimierz Gerhart kochte Kaffee. Er konnte das fabelhaft. Hinterher schenkte er Wodka in Gläser. Ich wußte inzwischen, daß Wodka-Trinken irgendwie eine polnische Begrüßungssitte darstellt. Ich trank Kaffee und Wodka und fühlte mich unheimlich gut. Ich hatte in dem klapperalten Beiwagen von Kazimierz Gerharts Motorrad zwischen Konservenbüchsen, Gläsern und Flaschen gehockt. Reden wir jetzt mal nicht von den Flaschen, weil Kazimierz Gerhart daranging, zwei Konservenbüchsen aufzuschneiden, den Inhalt in einen Eisentopf zu gießen und auf einem Propangaskocher zu erwärmen. Kazimierz Gerhart hatte zwei Büchsen aufgeschnitten, obwohl er doch schon mit dem Inhalt von einer Büchse mehr als satt geworden wäre, aber er hatte uns im Haus, und aus seiner Handlungsweise ging hervor, daß er uns als seine Gäste ansah. Die Büchsen kamen übrigens aus Ungarn. Was in ihnen drin war, sah rot aus, schmeckte unheimlich scharf und sonst nach gar nichts. An den Fensterscheiben lief währenddessen Wasser herunter. Aber davon war schon ausführlich die Rede.

Wir hatten hinterher die Möglichkeit zuzusehen, wie Kazimierz Gerhart Farben anrührte und sich damit an einer seiner Schnitzereien zu schaffen machte. Ich würde sagen, es war ein Wurzelstock, der aussah, wie Wurzelstöcke meistens aussehen, aber aus einer Stelle wuchs ein Knie heraus, das genauso aussah wie ein menschliches Knie, bloß eben kleiner. An einer anderen Stelle war auf die gleiche Art ein menschliches Ohr. Kazimierz Gerhart bestrich das Knie mit einem hellen Violett, was erst vollkommen irre aussah, aber dann, als überall Farben waren, auch wieder unheimlich gut wirkte. Das Ohr bekam ungefähr die Farbe, die menschliche Ohren üblicherweise haben. Kazimierz Gerhart pfiff während der Arbeit und während ihm eine brennende Zigarette an der Unterlippe klebte. Ich hatte den Eindruck, daß Jan restlos fasziniert war von dem, was er sah, jedenfalls an diesem ersten Tag.

Am Abend war es infolge der fortwährenden Regengüsse so kühl und klaterig in dem Bauernhaus, daß Kazimierz Gerhart hinausging und mit einem Armvoll Holzkloben zurückkam. Er machte Feuer in einem schwarzen gußeisernen Ofen und warf die Kloben hinein. Auf der Platte des Ofens stand ein Wasserkessel aus Kupfer. Draußen war, wie gesagt, immer noch Regen und machte Geräusch. In dem Kupferkessel, als es soweit war, rumorte es. Kazimierz Gerhart kochte immer wieder Tee auf. Er trank mit Jan außer dem Tee Wodka, aber ich hielt mich da meistens zurück. Kazimierz Gerhart erzählte irgendwas oder klimperte auf der Gitarre, und der schwarze gußeiserne Ofen gab Wärme. Ich kann nur sagen, daß es irgendwie ein wundervoller

Abend war. Ich konnte Jans Gesicht ansehen, wie ihm das alles gefiel. Ich sah Kazimierz Gerhart an, und mir gefielen alle Falten in seinem Gesicht.

Hinterher rollten wir unseren Schlafsack auf in einem Raum, wo mindestens ein Dutzend bunter Schnitzereien standen. Wir stiegen, Jan und ich, in den Schlafsack und hatten Gelegenheit, in das Licht der Petroleumlampe zu starren, die wir aus dem anderen Raum mitgenommen hatten. Das Licht der Petroleumlampe war überwiegend braun. Ich habe vergessen zu erwähnen, daß es in dem Bauernhaus nicht nur keine Wasserleitung, sondern auch keine elektrische Stromzufuhr gab. In den Flaschen, zwischen denen ich in dem Beiwagen von Kazimierz Gerharts Motorrad gesessen hatte, war zum Beispiel Petroleum gewesen, aber nicht nur. Um den Glasschirm der Petroleumlampe flogen Motten, Mücken und Nachtfalter. Verbranntes Petroleum riecht scharf, aber nicht schlecht. Ich kann natürlich nicht ausschließen, daß der scharfe Geruch irgendwie auch von den Farben kam, mit denen die Schnitzereien bemalt waren, und wir lagen da mittendrin, wir lagen darin wie in einer aufregenden Wolke.

Ich sagte: Es ist nicht schlecht hier, Jan. Oder?

Nein, sagte Jan, es ist sehr gut hier.

Wir haben Glück, sagte ich, daß wir hierhergekommen sind. Mir gefällt es phantastisch gut.

Jan sagte: Ja, du hast recht.

Es besteht überhaupt kein Zweifel daran, daß Jan damit die Wahrheit sagte, und außerdem war es das erstemal seit zehn Tagen, daß wir wieder so beieinanderlagen, und gegen die Holzwände, hinter denen wir lagen, klatschte der Regen.

43

Irgendwie konnte ich es nicht mit ansehen, wie Kazimierz Gerhart, in dessen Haus wir untergekommen waren, vor seinem Propangaskocher hantierte. Ich rede nicht von Kaffee. Ich habe schon angedeutet, daß polnischer Kaffee ganz hervorragend ist, womit zugleich gesagt werden soll, daß solchen Kaffee bloß Polen machen können. Kazimierz Gerhart war Pole, und ich war es nicht. Aber Kazimierz Gerharts Umgang mit Konservendosen wirkte vollkommen unmöglich. Ganz abgesehen davon, daß es auf die Dauer ausgesprochen öde ist, bloß von dem zu leben, was sich irgendwelche Dosenfabrikanten oder Dosenfabrikdirektoren einfallen lassen, um damit ihre Dosen zu füllen.

Ich hatte keine Ahnung vom Kochen. Meine gesamte einschlägige Erfahrung bestand darin, daß ich, solange ich noch zur Penne ging, aufgewärmt hatte, was mir nach den Einfällen meiner Greisin als Mittagessen zugedacht war. Stadtgas ist chemisch irgendwie anders als Propangas. Wenn es verlangt würde, könnte ich die Unterschiede herbeten. Der Wärmeeffekt ist aber ungefähr der gleiche, und deswegen fand ich es zunächst richtig, einzuspringen, wenn Kazimierz Gerhart Dosen öffnen und ihren Inhalt über Propangasflammen aufwärmen wollte. Daß ich dabei allmählich Ehrgeiz entwickelte, war, fand ich, beinahe natürlich. Wie die Inhalte von Konservendosen zu beurteilen sind, habe ich bereits gesagt. Ich wollte irgendwas entwickeln, das nicht unbedingt nach Schärfe, Weißblech und gar nichts schmeckte, und ich hatte dafür, außer meiner totalen Unkenntnis und viel zuwenig Zutaten, bloß meinen guten Willen. Aber ich sagte schon, daß ich, wenn ich mir etwas vorgenommen habe, es auch durchsetze, und sei es um den Preis einer Katastrophe. Der Preis waren in diesem Falle eine Menge unfreiwilliges Einbrennen und ein paar Gerichte, die ganz unwahrscheinlich gerieten und für die es überhaupt keine Namen gibt, weil es keinem vernünftigen Menschen einfallen wird, solche Gerichte jemals zu erfinden.

Jan sagte: Ich hätte nie angenommen, daß du dich mit einem Kochtopf abfindest.

Ich finde mich nicht ab, sagte ich, im Augenblick ist es eben für mich das Höchste, besonders weil es nichts anderes zu machen gibt.

Das war die Wahrheit, und jedenfalls war es so, daß ich immer noch mehr tat als Jan, der in diesen Tagen überhaupt nichts tat. Ich gebe zu, daß er gar keine Gelegenheit hatte. Nach zehn Tagen Doppel- und Sonntagsschichten als Maurer besaß er geradezu das Recht, nichts zu tun. Es war aber nicht zu überhören, daß, wenn er so mit mir redete, allmählich in seine Stimme eine Art Gereiztheit kam. Wir lebten inzwischen vier Tage in dem blaugestrichenen Bauernhaus von Kazimierz Gerhart. Wir schliefen nachts in einem Schlafsack zwischen buntbemalten Schnitzarbeiten. Unsere Petroleumlampe fraß Motten und Nachtfalter, solange sie brannte. Sie ging von selber aus, wenn kein Öl mehr in den Docht lief, weil der kleine Lampentank leer war. Das passierte irgendwann nachts, während wir schliefen. Es gab immer noch Regen, und dabei wurde es immer kälter.

44

Zwischendurch war ein Mann gekommen, von dem Kazimierz Gerhart behauptete, er sei von Beruf Schmied. Der Mann sah genauso aus, als würde er im Zirkus jeden Abend mit bloßen Händen einen lebendigen Bären mittendurchreißen. Motoren, besonders von Zweirädern, sind nach meinem Gefühl eher eine zarte Angelegenheit. Ich fand, Bärenzerreißer oder Schmiede sind absolut ungeeignet, damit umzugehen. Trotzdem war es so, daß der Mann drei Stunden ernsthaft an Kazimierz Gerharts Motorrad herumfummelte und die Mühle hinterher lief. Ich werde nie wieder was gegen Schmiede und ihre Talente im Umgang mit Motoren sagen, sachlich.

Der Schmied war an einem Tag gekommen, als es regnete. Den Tag darauf war zwar nicht gerade Hochsommerwetter, aber jedenfalls regnete es nicht. Kazimierz Gerhart sagte, er müsse nach Krakau fahren, und weil das Wetter danach war, lud er uns ein, mitzukommen. Jan war weiter irgendwie gereizt.

Ich saß wieder im Beiwagen, wo es diesmal keine Büchsen und Flaschen gab. Der Tag war ziemlich windig. Wir fuhren ungefähr eine Stunde bis nach Krakau.

Ich hatte eine Stadt wie Krakau noch nie gesehen, und wenn ich jetzt sage, daß Krakau schön ist, so sage ich es bloß, weil mir kein anderes Wort dafür einfällt. Ich glaube einfach nicht, daß es so was noch mal gibt. Ich gebe zu, daß ich nicht besonders viele Städte kenne, aber ich kann mir einfach nicht vorstellen, daß ich jemals wieder ein Gefühl haben werde, wie ich es hatte, als ich an diesem Tag in Krakau war.

Krakau besteht aus Kirchen und alten Häusern. Krakau besteht aus Straßen, Plätzen und unheimlich viel Bäumen. Krakau liegt an der Weichsel, die ein aufregender Fluß ist, jedenfalls in Krakau. Es gibt in Krakau Kaffeehäuser, Kneipen, Museen und Tauben. Krakau hat Farben, die ich nicht beschreiben kann, aber von denen sich vielleicht sagen läßt, daß sie irgendwie sanft und sinnlich sind. Krakau ist eine ungeheuer freundliche Stadt. Krakau ist stolz und überhaupt nicht düster. In Krakau könnte ich mich auf den Markt setzen, zwei Kirchtürme ansehen, ein Stück warmes Brot essen und vergessen, daß es auf der Welt überhaupt noch irgendwas anderes gibt als Krakau. Ich könnte dabei alt werden und würde mir hinterher sagen, ich hätte ein großartiges Leben gehabt.

Kazimierz Gerhart hatte irgendwelche Besorgungen. Sein Motorrad mit dem Beiwagen stand am Rynek, was auf deutsch soviel wie Marktplatz bedeutet. Ich packte Jan am Arm und streunte mit ihm über den Rynek, daß die Tauben auseinanderflogen. Ich ging in jede Kirche. Ich ging in jedes Museum, das geöffnet war. Mir wurde allmählich schwindelig. Ich ging in Hauskorridore, Höfe, ich hörte Vögel, ich roch Weihrauch, Nelken und Bäckereigeruch, ich setzte mich in jedes Café, ich wurde neidisch, weil die Kellnerinnen alle so gottverdammt hübsch waren, ich kriegte Herzklopfen von viel zuviel polnischem Kaffee, ich ging durch fast alle Straßen, ich sah mir Portale an, ich sah mir Fenstereinfassungen an, ich kletterte Treppen hoch, ich stand auf dem Wawel, ich sah mir die Steinsärge von Königen an, ich hatte das Gefühl, meine Füße bestünden bloß noch aus Blasen und rohem Fleisch, ich lief weiter, so war ich besoffen von Krakau. Für eine Stunde schien sogar die Sonne, und mit der Sonne wurde die Stadt so aufregend, daß ich am liebsten geheult hätte, weil ich derart außer mir war. Jan hielt mich am Handgelenk und erzählte mir tausend Dinge über Krakau, die ich sofort wieder vergaß, weil mein Gehirn sozusagen überlief. Jan redete weiter, und er war offenbar zufrieden, daß er reden konnte, und daß ich so besoffen war von Krakau. Jan war in diesen Stunden wie in unseren besten Tagen. Wenn ich sagte, daß ich auf dem Rynek sitzen könnte und dabei alt werden, so bedeutete das an diesem Tag, daß ich es natürlich zusammen mit Jan wollte.

Schließlich trafen wir Kazimierz Gerhart wieder, und der ging mit uns in eine Kneipe. Es war keine vornehme Kneipe. Kazimierz Gerhart, wie er war, paßte einfach nicht in vornehme Kneipen. Wo wir saßen, gab es weiße Wände und dunkle Tische. Das Haus, in dem sich die Kneipe befand, war mächtig alt, was

sich an den Pfeilern und an irgendwelchen Bögen in den Wänden
erkennen ließ. Der Name der Kneipe hatte mit Fischen zu tun.
Wir aßen, und ich kann nicht mehr sagen, was es war, weil ich
noch nie in meinem Leben auf Essen gestanden habe. Ich kann
nur sagen, daß es kein Gericht war, das Gittie Marczinkowski
konstruiert hatte, und deswegen war es erst mal hervorragend.
An einem Nebentisch saß ein weißhaariger Mann mit ungeheuer
vielen Orden an der Brust. Er trank Bier und rauchte Zigaretten
und spielte mit einem anderen alten Mann, der überhaupt keine
Orden trug, Schach. Jan sagte, der Mann mit den Orden sei ein
Kriegsveteran. Es kam eine alte Zigeunerin mit einem kleinen
Kind und bettelte. Ich fischte ihr ein paar Złoty-Münzen aus der
Hosentasche von meinen Levi's. Es waren Złotych, die ich selber
verdient hatte in der Gießerei *imieniem I. Marchlewskiego* in
Mikołów. Als die alte Zigeunerin schon wieder an der Tür war,
kamen andere Zigeuner. Es waren lauter Männer, und sie waren
viel jünger, und sie hatten alle Instrumente. Sie zankten sich eine
Weile mit der alten Zigeunerfrau, die aber dann verschwand, und
dann nahmen sie ihre Instrumente vor den Leib und fingen an zu
spielen. Ich hatte noch nie Zigeunermusik gehört. Ich wußte,
daß Django Reinhardt, den ich für zirka zehn Wochen ungeheuer verehrt hatte, ein Zigeuner gewesen war, aber Django
Reinhardt hatte Jazz gemacht. Die Jungs hier geigten und spiel-
ten, daß ich fast nicht mehr hinhören konnte, so ungeheuer war
das; ich merkte, wie mir die Tränen über die Backen liefen und in
den Suppenteller tropften, und ich konnte nichts dagegen tun.
Dabei bin ich überhaupt keine Heulsuse, und ich bin, was man
mir glauben muß, überhaupt nicht gefühlsduselig. Aber ich hörte, wie die Kerle geigten, und mir lief das Wasser aus den Augen,
als gäbe es in meinem Kopf einen Automaten, der auf bestimmte
Geigentöne geeicht ist. Ich sage, ich war besoffen an diesem Tag,
aber bestimmt nicht von Wodka, denn den hatte ich überhaupt
nicht getrunken.
Mir fiel dabei so gut wie gar nicht auf, daß Jan gereizt war, als
Kazimierz Gerhart wieder auftauchte. Jan hatte mich vorher gefragt, ob wir nicht endlich weiterfahren sollten. Er sagte, es wäre

eigentlich höchste Zeit, außerdem wäre das Wetter danach, und von Krakau wäre es bloß noch ein kurzes Stück bis nach Jarosław. Er mußte mir das dreimal sagen, ehe ich reagierte, und dann sagte ich, erstens hätten wir noch unsere Klamotten in Kazimierz Gerharts Haus und zweitens käme ich irgendwie von den bemalten Schnitzereien nicht los. Ich sagte, ich müßte sie mir noch eine Weile ansehen und überhaupt wäre das blaugestrichene Bauernhaus mit dem Ziehbrunnen, den Schnitzereien und der Petroleumlampe einfach Klasse. Jan sagte nichts darauf. Ich merkte, daß ihm meine Antwort nicht schmeckte, aber er sagte nichts. Was mich betrifft, so hatte ich Jarosław fast vollständig vergessen, sachlich.

45

Am nächsten Tag kriegte Kazimierz Gerhart in seinem Haus Besuch. Es fuhren zwei Wagen vor. Der eine war ziemlich neu und geleckt. Der andere war uralt und klapperte genauso wie das alte Motorrad von Kazimierz Gerhart. Aus den beiden Autos stiegen eine Menge Leute. Es waren Maler und Filmleute und ein Schriftsteller, und die meisten waren Männer. Es gab zwei Frauen. Die eine war die Freundin von einem Maler, und sie war so häßlich, daß es schon wieder aufregend wurde. Die andere sah dafür enorm gut aus, obwohl sie mindestens vierzig war und eine graue Strähne im Haar hatte. Es war mir gelungen, zwei Hühner so zu braten, daß beinahe jeder sie essen konnte. Die Leute, die kamen, waren alle miteinander Freunde von Kazimierz Gerhart. Sie kamen aus Krakau und Katowice und sonstwo her. Sie brachten Würste mit und fünf Flaschen Wodka. Kazimierz Gerhart hatte mir vorher gesagt, daß es ziemlich verrückte Leute wären.

Ich kann nur sagen, daß, wenn diese Leute wirklich verrückt waren, sie sich an diesem Abend ungeheuer normal benahmen. Vielleicht ist es auch so, daß in Polen Leute auf eine andere Art verrückt sind als bei uns. Dafür spricht, daß, was an diesem Abend stattfand, so was wie eine Party war, und ich habe nie etwas erlebt, das einer Party, jedenfalls wie ich sie kannte, so vollkommen unähnlich war. Die Leute knabberten meine gebratenen Hühnchen herunter, und hinterher tranken sie Tee, Wodka und Wasser. Es wurde geredet. Es wurde anfangs auch deutsch geredet, aber nach einer Weile vergaßen das die anderen und redeten polnisch. Sie redeten ungeheuer leise. Ich hatte keine Ahnung, worum es ging. Ich hörte auf ihre Stimmen, und ich sah mir ihre Bewegungen an. Im Ofen knackte manchmal das brennende Holz. Der Ofen war in Betrieb, weil die Kälte und die Klaterigkeit nicht nachgelassen hatte. Ich sah, daß Jan bei den Gesprächen mithielt und daß er für eine Weile vielleicht so etwas wie einen Streit hatte mit einem der Männer. Wenn es aber wirklich ein Streit war, ging er enorm leise und gedämpft vor sich. Der Mann, mit dem sich Jan auf diese Weise unterhielt, hatte einen Vollbart und war ein Maler aus Krakau. Kazimierz Gerhart besaß ein Transistorradio, das eingeschaltet war, und aus dem Lautsprecher des Radios kam Klaviermusik; ich würde sagen, daß es sich um Chopin handelte, weil Klaviermusik in Polen meistens Chopin ist, aber ich will mich nicht festlegen und kann nur sagen, daß die Musik langsam und irgendwie traurig war, aber dann doch wieder gut zu dieser Gesellschaft paßte, die überhaupt nicht traurig war, wenn sie auch nicht brannte vor Fröhlichkeit und niemals in dieser Richtung irgendeine Neigung zeigte.

Die Freunde von Kazimierz Gerhart hatten einen Wodka mitgebracht, der braun war, und dazu gehörte eine dunkle und eckige Flasche mit einem Etikett, auf dem ein Zweig mit irgendwelchen Wildbeeren zu sehen war. Der Wodka gefiel mir, und ich trank davon drei, vier kleine Gläser. Hinterher war ich ziemlich benommen. Ich hörte alles und sah alles. Ich hörte das Stimmengesumm, das immer gleichmäßig war, nie abbrach und nie besonders laut wurde. Ich hörte die Klaviermusik im Radio und das Holzknacken in dem schwarzen gußeisernen Ofen. Ich war schrecklich müde. Ich sah die Leute, ich sah die Münder, ihre Hände, ich sah Jan, ich sah Kazimierz Gerhart, ich sah das braune Licht der Petroleumlampen, und ich sah den Lichtschein auf zwei Schnitzereien, die neben der Wand aufgestellt waren und die aus meiner Perspektive aussahen wie ein irrer Wald von zirka hundert weißen Fingern, denn die Sachen waren noch nicht bemalt. Ich war müde, aber ich war es jedenfalls noch nicht so sehr, daß ich hätte wegkippen können. Wenn ich jetzt sage, daß mir dennoch zumute war, Lieder zu singen, klingt das vermutlich vollkommen blödsinnig. Tatsächlich sang ich auch keine Lieder, aber irgendwie sang ich sie doch. Ich würde sagen, irgendwas in mir sang Lieder. Ich war angetrunken, ganz klar. Ich sage, daß ich, während die anderen redeten, in mir ganz deutlich irgendwas hörte, das auf seine Art ein Lied war, und ich kann daraus nur schließen, daß es sich um mein persönliches und geistiges Eigentum handelte, denn ich hatte es vorher noch nie gehört. Es war eindeutig ein Lied über Polen. Es handelte davon, daß ich Polen mochte und daß ich traurig war, weil ich irgendwann aus Polen wieder fortgehen würde. Das Lied hatte zu tun mit Holz, Beeren, Häusern, Tauben, Zigeunern, Landstraßen, alten Städten, Weihrauch, roten Fahnen, Steinkohle, Sonne mit Leuten, Wärme, Gewittern, Schlafsäcken, Kiefern, Nonnen, Geigen und mit dem Fluß Weichsel. Irgendwie war es ein trauriges Lied. Irgendwie war es kein trauriges Lied. Die Musik war eine genaue Mischung aus Chopin und Jimi Hendrix. Also sagen wir: zwischen Klavier und brüllender Gitarre. Da es eine derartige Mischung nicht gibt, handelte es sich um eine grandiose Spinnerei. Ich war einfach angetrunken, und es gibt dabei Zustände, wo die Zeit plötzlich in die Häckselmaschine rutscht und zu nichts als gelbem Dreck wird, der sich beliebig in die Luft werfen läßt und den der Wind mühelos ein Stück mitnimmt.

Als ich aufwachte, hatte ich an Kazimierz Gerharts Schulter gelegen. Ich habe vergessen zu erwähnen, daß ich den ganzen Abend neben ihm saß. Die anderen Leute waren verschwunden. Es gab bloß leere Gläser und überfüllte und qualmende Aschenbecher. Gerhart hatte mich vermutlich wachgerüttelt. Mir war eindeutig grau im Kopf.

46

Es konnte nun an mir liegen oder, was ich beinahe annehme, an dem braunen Wodka aus der dunklen, eckigen Flasche, deren Etikett die Abbildung eines Zweiges mit Wildbeeren hatte. Ich war angetrunken gewesen, aber nicht besonders. Tatsache ist, daß ich keine besonderen Erfahrungen mit Alkohol habe und kein Bedürfnis empfinde, jemals welche zu erwerben. Ich will einfach damit sagen, mir war am nächsten Tag ziemlich unbeschreiblich. Hatte ich nachts schon, als mich Gerhart aufgeweckt hatte, einen grauen Kopf, so war mir jetzt, daß ich, wenn ich eine Farbe dafür nennen sollte, sagen müßte, daß diese Farbe erst noch zu erfinden ist, weil so was ungeheuer Düsteres praktisch kaum benötigt wird.

Ich wachte in meinem Schlafsack auf. Ich wachte allein darin auf. Ich brauchte ungefähr fünfzehn, sechzehn Sekunden, ehe mir klar war, wo ich mich befand. Ich bewegte vorsichtig meinen Kopf, und mir war, als bestünde mein Gehirn vorwiegend aus Stecknadeln. Allmählich fiel mir ein, daß es einen Menschen gab, der Jan hieß, und Jan war nicht da. Für eine Weile war ich zunächst mit dem Anblick von Schnitzereien beschäftigt, die farbig waren und die ich im Prinzip alle kannte, weil ich nicht erst heute, sondern schon seit Tagen mit meinem Schlafsack zwischen ihnen lag. Ehe ich zu irgendwelchen Ergebnissen meiner ungeheuer schwierigen und schmerzhaften Denkarbeit gelangen konnte, ging die Tür auf, und Jan kam herein.

Jan war halbnackt und an seinem Oberkörper eindeutig naß. Er war offenbar draußen gewesen und hatte sich an dem Ziehbrunnen gewaschen. So wie er hatte ich es alle Tage davor auch gemacht, und ich würde es auch heute wieder tun. Im Augenblick war es aber erst mal so, daß mir schon der Gedanke daran ungeheure Schmerzen verursachte und ich höchstens in der Lage war, meine Pupillen in einem geschätzten Winkel von zirka zweiundsiebzig Grad zu bewegen.

Ich gebe im folgenden die Unterhaltung zwischen Jan und mir

wieder und unterdrücke alle erklärenden Bemerkungen. Ich weiß jetzt schon, daß mich das schmerzen wird. Ich spare sie mir trotzdem. Ich erwähne nur nochmals, daß ich in keiner guten Verfassung war und daß Jan so gereizt war wie irgendwann.

Jan also kam und hatte einen nassen Oberkörper; er griff sich ein Tuch, um sich trockenzureiben, und dabei sagte er düster: Du bist also wach.

Ja, sagte ich, irgendwann mußte das wohl passieren.

Vermutlich darf ich von Glück reden, sagte Jan, daß es in dem Schlafsack passiert ist und nicht irgendwo.

Ich fühle mich ungeheuer schlecht, sagte ich, deswegen muß ich darum bitten, daß du nicht in rätselhaften Andeutungen redest.

Womit kann ich dir helfen?

Ich wüßte gern, wo ich hätte aufwachen sollen, wenn es nicht in diesem Schlafsack ist.

Du hast heute nacht an der Schulter, vorübergehend auch auf dem Schoß von Kazimierz Gerhart gelegen.

Von Schoß habe ich keine Ahnung. Ich muß Schoß als glatte Verleumdung ablehnen.

Du hast keinen guten Anblick geboten.

Das war euer Wodka. Ihr braut hier ungeheure Sachen. Außerdem bin ich so was einfach nicht gewohnt.

Wann fahren wir ab?

Solche Fragen darfst du mir jetzt nicht stellen.

Wir sind seit sechs Tagen hier.

Ich bin jetzt keinesfalls in der Lage, komplizierte arithmetische Aufgaben zu lösen.

Ich hasse es, irgend jemandem zur Last zu fallen.

Falls du mit irgend jemand Kazimierz Gerhart meinst, muß ich deine Argumente ablehnen. Kazimierz Gerhart ist ein großer Künstler.

Wann fahren wir endlich nach Jarosław?

Ich bin nicht in Form. Du mußt Nachsicht mit mir haben.

Kannst du mir beibringen, was Jarosław ist?

Ich habe deinetwegen eine Menge Dinge auf mich genommen.

Ich versäume eine Arbeit. Ich habe das alles nicht gemacht, damit du schließlich mit einem Bildhauer ins Bett gehst.

Hilf mir weiter, sagte ich, von wem ist die Rede?

Du bist scharf auf Kazimierz Gerhart.

Ach du lieber Gott, sagte ich, er könnte mein Vater sein, vielleicht sogar mein Großvater.

Glaubst du, ich habe keine Augen im Kopf?

Schäm dich, sagte ich. Wenn du deine Augen nur dafür verwendest, um mich mit meinem Großvater im Bett zu sehen, obwohl es gar nicht darum geht, solltest du lieber blind sein.

Wann brechen wir auf?

Ich kann keine Uhr erkennen, sagte ich, dafür habe ich Stecknadeln im Kopf.

Du bist eine elende grenzenlose Egoistin!

Du bist völlig humorlos, sagte ich. Diese Antwort entsprach nach meinem Empfinden vollkommen der Wahrheit, und gegen die Wahrheit gibt es keine Argumente.

Das Gespräch hatte mich angestrengt. Die Stecknadeln hatten spitzere Spitzen gekriegt. Ich schloß erst mal wieder die Augen und hörte bloß, wie Jan mit irgendwelchen Textilien hantierte. Es passierte dann, daß ich noch einmal einschlief. Wenn man meinen Zustand bedenkt, war es das Beste, was ich tun konnte.

47

Als ich wieder aufwachte, hatte ich keine Stecknadeln mehr im Kopf, war aber enorm vertrant. Ich dehnte mich, schleppte mich aus dem Schlafsack und ging erst mal zu dem Ziehbrunnen. Ich wusch mich und hatte im Ergebnis das Gefühl von kalter Haut. Ich ging zurück. Ich sah Jan nicht. Jan war mir in diesen Sekunden vollkommen egal. Ich ging in die anderen Räume. Kazimierz Gerhart stand vor einer Schnitzerei und pinselte Farbe. Ich ging zu dem Propangaskocher und goß Kaffee auf. Ich kann das nicht so gut, wie das die meisten Polen machen, aber ich fand, mein Kaffee war an diesem Morgen trinkbar. Gerhart jedenfalls trank ihn ohne Widerspruch. Er sagte nichts. Er trank den Kaffee, er rauchte, und er pinselte. Bei mir führte der Kaffee dazu, daß ich ganz allmählich damit anfangen konnte, irgendwas zu denken.

So entdeckte ich erstens, daß Jan immer noch nicht zu sehen war, und zweitens, daß es draußen nicht regnete. Bis zu einem gewissen Grade war ich wütend. Ich fand, daß Jan sich idiotisch benahm. Mit Gerhart war nicht zu reden, solange er arbeitete. Er hatte das Transistorradio eingeschaltet und hörte Volksmusik. Er steckte sich eine Zigarette an der anderen an. Die Zigaretten, die er rauchte, trugen den Namen *Carmen*. Ich spülte lässig das dreckige Geschirr vom vergangenen Abend und sagte meinerseits kein Wort. Ich überprüfte die Vorräte an Konservendosen. Es gab noch jede Menge weiße Bohnen in Tomatensoße, mit Würstchen. Die Konserven kamen aus Jugoslawien. Draußen war jetzt nicht nur kein Regen, sondern es schien ein bißchen Sonne.

Ich ging insgesamt zwei Stunden spazieren. Irgendwie dachte ich, daß ich Jan treffen müßte, aber ich traf ihn nicht. Der Spaziergang tat mir, rein körperlich betrachtet, ungeheuer gut. Ich ging zwischen Feldern herum. Ich sah Kühe auf einer Weide. Ich ging auf Erdwegen, roch Kleegeruch und scheuchte Krähen auf. Die Sonne schien immer bloß kurz. Am Himmel gab es enorme Wolkenkonstruktionen. Ich dachte nicht viel nach, sondern wartete erst mal darauf, daß mein Gehirn völlig in Ordnung kam. Das war ungefähr nach anderthalb Stunden der Fall. Ich dachte über mein Gespräch mit Jan nach und fand, daß es ein ungeheuer albernes Gespräch gewesen war. Danach dachte ich an Jarosław. Ich wollte wieder unbedingt nach Jarosław, und wenn ich jemals in den letzten Tagen etwas anderes behauptet hatte, so war das eine gottverdammte Lüge gewesen.

Ich ging in das blaugestrichene Bauernhaus zurück, wo Kazimierz Gerhart hauste. Ich fand Gerhart bei seiner Arbeit und wollte ihn nicht stören. Er war gerade bei seinen letzten Pinselstrichen und korrigierte was. Die Schnitzerei sah phantastisch bunt aus. Sie war farbiger als die meisten Sachen, die ich von ihm kannte. Das Transistorradio lief immer noch und brachte irgendeine männliche Ansage. Ich vermutete Nachrichten oder Wasserstandsmeldungen.

Ich ging in die anderen Räume und rief Jan. Ich kriegte keine Antwort. Allmählich kam mir das ulkig vor. Ich ging in den Raum, wo wir schliefen. Ich fand den Schlafsack genau so, wie ich ihn vorhin zurückgelassen hatte. Ich fand mein Gepäck, aber ich fand nicht Jans Rucksack. Ich wußte genau, daß der Rucksack gestern noch dagewesen war, und ich wußte genau die Stelle, wo er gelegen hatte. Der Rucksack war fort, und ich fand keine von Jans Klamotten.

Ich ließ mich erst mal auf den Schlafsack nieder. Ich sah mir meine Tasche an. Ich sah, daß die Tasche geöffnet war, und ich sah oben auf meinen Sachen ein Stück Papier. Ich hätte wetten können, daß ich dieses Papier gestern noch nicht gesehen hatte, obwohl man sich natürlich auch irren kann. Ich griff mir immerhin mal das Papier und merkte, daß es ein Briefumschlag war. Ich öffnete ihn und fand darin tausendzweihundert Złotych. Ich federte hoch und ging zu Kazimierz Gerhart. Der war gerade mit seiner Malerei fertig, hatte eine qualmende Zigarette im Mund, er hockte auf dem Rand von seinem zerbeulten Ledersofa und äugte prüfend zu seiner Schnitzerei hinüber. Ich fragte ihn, ob er wisse, wo Jan ist. Er zuckte die Achseln. Ich fragte ihn, ob er sagen könne, wann er Jan das letztemal gesehen habe. Er nahm die

Zigarette aus dem Mund, schnipste Asche ab, sagte aber nichts. Er zuckte bloß noch mal mit den Achseln. Er zwinkerte, aber das war wegen der Schnitzerei. Er sah sie an, als sähe er sie zum erstenmal, dabei hatte er mindestens zwei Wochen damit zugebracht. Er stand dann ungeheuer langsam auf und schenkte sich einen Wodka ein. Das Transistorradio brachte jetzt ein Sinfoniekonzert.

Ich ging und packte meine Klamotten. Es war keinesfalls besonders warm, trotzdem brach mir der Schweiß aus. Ich hatte es zuletzt so eilig, daß ich zappelige Finger kriegte und kaum die Riemen für den Schlafsack zubekam. Dort, wo Kazimierz Gerhart war, dröhnte das Transistorradio Sinfoniemusik, ich vermute, Beethoven. Ich verließ das Haus durch den Hinterausgang.

Ich mußte eine gute Viertelstunde gehen, bis ich zur Landstraße und zur nächsten Bushaltestelle kam. Die Viertelstunde war eine gute Leistung, wenn man mein Gepäck bedenkt. Ich sah zwei alte Leute neben der Haltestelle und schloß daraus, daß bald ein Bus kommen mußte. Ich war ziemlich außer Atem. Während ich stand und allmählich langsamer atmete, fiel mir ein: ich hatte Kazimierz Gerhart kein Wort gesagt, daß ich fortging. Irgendwie war das ziemlich mies von mir. Ich hatte mich nicht verabschiedet, und ich hatte mich nicht bedankt. Ich konnte es nicht mehr ändern. Ich konnte jetzt nicht noch mal zurückgehen. Ich vermute, Kazimierz Gerhart war eine Menge komischer Vögel gewöhnt. Ich konnte ihm ja einen Brief schreiben.

Ich fuhr mit einem Omnibus bis nach Jaworzno und mit einem anderen Omnibus bis nach Katowice. Ich ging in Katowice zum Hauptbahnhof und kaufte mir eine Fahrkarte. Ich mußte eine halbe Stunde warten und sah eine Menge gutangezogener Leute. Es war Sonntag. Irgendwo läuteten Glocken, und ich sah mir vom Bahnhof aus ein paar Schornsteine an.

Ich bestieg einen Zug, der nach Wrocław fuhr. Der Zug würde von Wrocław aus weitergehen über Legnica nach Görlitz und Leipzig und von da aus weiter bis nach Frankfurt am Main. Der Zug war ziemlich leer. Ich saß in einem Abteil zusammen mit zwei dicken Männern aus Leipzig. Sie redeten in einem fort und redeten über das, was sie in Polen erlebt hatten. Sie sprachen über Wirtschaftsdinge und über Wodka. Sie fanden das polnische Bier nicht gut. Ich hatte überhaupt keine Lust, mich irgendwie mit ihnen abzugeben. Ich versuchte zu schlafen, obwohl mir das kein bißchen gelang. Ich hatte Kopfschmerzen. Am Himmel waren mal Wolken, und manchmal war Sonne. Die beiden dicken Männer aus Leipzig redeten jetzt über polnische Frauen.

In Wrocław stieg ich aus und überlegte noch mal, ob, was ich vorhatte, überhaupt vernünftig war. Ich dachte ziemlich lange nach. Ich fand schließlich, nach allem, was inzwischen passiert war, gab es nichts Besseres zu tun als das, was ich vorhatte, wenn das auch keine Garantie dafür war, daß ich irgendwas erreichen würde.

Ich mußte in Wrocław beinahe zwei Stunden warten. Der Bahnhof von Wrocław sieht von außen aus wie eine riesige Ritterburg und von innen teils wie ein moderner Flughafen, teils wie ein orientalischer Basar. Wobei ich hinzufügen muß, daß ich noch nie in meinem Leben einen Flughafen gesehen habe und auch noch nie einen orientalischen Basar. In der Halle war ungeheuer Betrieb. Ich hing mit meinem Gepäck herum und trank zahllose Gläser Tee. Ich erfuhr dabei, daß Tee auf polnisch *herbata* heißt. Man soll nie eine Gelegenheit vorbeigehen lassen, irgendwas zu lernen.

Den Hauptbahnhof von Poznań kannte ich bereits. Ich war von Wrocław nach Poznań knapp zwei Stunden mit dem Zug gefahren. Mein Problem bestand darin, daß ich zum erstenmal in meinem Leben allein in Poznań war. Mein Problem bestand vor allem darin, daß ich, einschließlich des vor zwei Stunden neu gelernten Wortes *herbata,* was Tee bedeutete, maximal zehn Worte Polnisch kannte, womit sich nicht viel anfangen ließ.

Ich verhandelte mit zwei Taxifahrern und scheiterte nach kurzer Zeit, weil beide Taxifahrer kein Deutsch verstanden. Ich mußte danach zehn Minuten warten, ehe wieder ein Taxi kam, und dessen Fahrer verstand genausowenig Deutsch wie die beiden anderen. Ich mußte noch mal zirka sechs Minuten warten, ehe ein Taxi kam, mit dessen Fahrer ich handelseinig wurde.

Ich konnte ungefähr sagen, wie die Straße hieß, zu der ich wollte. Ich hatte den Klang im Ohr, aber ich konnte ihn nur ungefähr wiedergeben. Ich wußte, wie die Straße aussah, und konnte sie ganz gut beschreiben. Der Taxifahrer hörte mir sehr geduldig zu, und ich hatte hinterher nicht den Eindruck, daß er besonders überzeugt war. Er lud mich immerhin ein und fuhr mich ungefähr eine Dreiviertelstunde durch Poznań. Bloß für sich genommen, war das keine uninteressante Fahrt. Ich lernte eine Menge Plätze und Straßen kennen. Mir gefiel besonders eine Art gläserner Turm, der so aussah, wie ich mir ein Observatorium vorstelle. Wir kamen an dem Turm dreimal vorbei. Der Fahrer sagte, es handle sich bei dem Turm um ein Warenhaus. In fremden Ländern ist eben alles anders.

Der Fahrer hielt vor einer Reihe von Siedlungen mit neuen Häusern und fragte mich jedesmal, ob es das sei. Danach, wenn ich nein sagte, ließ er sich meine Beschreibung wiederholen. Als ich schließlich dort war, wohin ich wollte, hatte ich irgendwie Hunger, und außerdem war es Abend geworden. Der Fahrer verlangte von mir fünfundachtzig Złotych. Er war ein älterer Mann mit einer Schirmmütze.

Ich irrte wieder eine Weile vor ein paar Hauseingängen herum, bis ich am Ende den richtigen fand. Ich ging die Stufen hoch und stand vor der blaugestrichenen Tür mit dem Namensschild: Żiębiński. Ich klingelte, und hinter der Tür tat sich überhaupt nichts. Ich klingelte noch mal und gab schon alle Hoffnung auf, als ich hinter der Tür ein Geräusch hörte. Die Tür wurde aufgemacht, und ich stand vor Jans Vater.

Guten Abend, sagte ich, vermutlich erinnern Sie sich an mich.

Ja, sagte Herr Żiębiński.

Ich suche Jan, sagte ich.

Wir suchen ihn auch, sagte Herr Żiębiński.

Schade, sagte ich, es war meine Hoffnung, ich könnte ihn hier finden.

Darauf hoffe ich schon sehr lange, sagte Herr Żiębiński, bis jetzt wurde ich immer enttäuscht.

Ich sagte: Vielleicht überlegt er es sich.

Herr Żiębiński sagte: Dann müßte er sich sehr geändert haben.

Irgendwann, sagte ich, kann das jedem passieren.

Herr Żiębiński sah mich an. Er sah mich irgendwie nicht unfreundlich an. Ich glaube sogar, daß für eine halbe Sekunde in seinem Gesicht so was wie Lachen war. Herr Żiębiński wirkte so unwahrscheinlich ernst, daß ein Lachen, vorausgesetzt, es war tatsächlich eins, die reine Sensation gewesen wäre.

Er sagte: Wollen Sie nicht hereinkommen?

Ich sagte: Danke.

Vielleicht sind Sie müde, sagte Herr Żiębiński. Sie können einen Tee bekommen oder einen Wodka.

Ich habe heute nachmittag schon zirka fünfzehn Gläser Tee getrunken, sagte ich, das ist mehr, als ich vertrage, und Wodka trinke ich bestimmt die nächsten sieben, acht Jahre nicht wieder, ich vertrage ihn nämlich nicht.

Sie denken, er kommt hierher? sagte Herr Żiębiński.

Irgendwann, sagte ich, kommt er bestimmt.

Daraufhin nahm ich mein Gepäck auf, sagte polnisch auf Wiedersehen und ging die Stufen hinunter. Ich hörte, wie Herr Żiębiński die Tür wieder schloß.

Herrn Ziębińskis Wohnung befand sich im zweiten Stockwerk. Ich ging noch an dem ersten Stockwerk vorbei, dann setzte ich mich auf die Stufen. Ich legte mein Gepäck so, daß niemand darüber stolpern konnte. Das war, zumindest für die ersten dreißig Minuten, eine völlig überflüssige Befürchtung.

Nach einer halben Stunde kam eine ältere Frau und blickte mich finster an. Vielleicht hielt sie mich für eine Art Bettler. Die Frau ging die Stufen hoch. Es kamen danach zwei kleine Kinder. Sie drückten sich an mir vorbei, als wäre ich ein Ungeheuer mit grünen Zähnen. Danach kam ein Mann mit einem Spitz und ging die Stufen hinunter. Es kam ein junges Paar und nahm überhaupt nicht von mir Kenntnis. Inzwischen war es so dunkel, daß, wenn jemand in den Hausflur trat, das Licht eingeschaltet wurde. Das Licht summte, solange es brannte, und ging nach zirka drei Minuten automatisch wieder aus.

Der Mann mit dem Spitz kam zurück und ging die Stufen hoch. Ich hörte ein paar Stimmen hinter den Wohnungstüren. Dann hörte ich Schüsse und Pferdegetrappel und Musik. Ich schloß daraus, daß irgendwelche Leute vor ihren Fernsehapparaten saßen und in dem Fernsehapparat ein Western lief. Ich stellte mir den Western vor. Ich sah John Wayne oder Gregory Peck reiten, vom Pferd springen und lässig in einen Saloon treten. Ich stellte mir eine mit Holz geheizte Lokomotive vor, die von Banditen überfallen wurde. Ich stellte mir die kahlen Felsen von New Mexico vor, auf denen die stoppelbärtigen Gangster mit ihren Wummen lagen. Ich stellte mir eine ganze Menge vor. Ich fragte mich, warum die Mädchen in amerikanischen Western immer aussehen wie blonde Schellfische. In dem Treppenhaus roch es nach Parkettöl, und manchmal roch es nach Tabakrauch, und einmal roch es nach Kaffee. Im Grunde war meine Situation ziemlich aussichtslos, und infolgedessen war mir elend.

Da ging das Licht wieder an. Ich hörte die Haustür knacken und hörte Schritte auf der Treppe. Ich war darauf gefaßt, daß ein Mädchen vom Schwof zurückkam und bei meinem Anblick furchtbar erschrak. Die Schritte kamen näher, und statt des Mädchens, das vom Schwof wiederkam, sah ich Jan.

Ich sagte: Hallo.

Oh, er war ungeheuer im Nehmen. Vermutlich hat es ihn enorme Kraft gekostet, keine Reaktion zu zeigen. Er sagte nämlich nur: Sitzt du bequem?

Ich sagte: Es geht. Ich habe mich eingerichtet.

Ich war in Warschau, sagte Jan.

Ist Warschau schön?

Ich studiere in Warschau, sagte Jan.

Ja, sagte ich, du hast es mir irgendwann erzählt.

Ich habe mit meinem Ordinarius verhandelt, sagte Jan.

War es schwierig?

Ich mußte den Termin für meine Arbeit um einen Monat verschieben lassen.

Ich hoffe, es ist dir gelungen.

Es war nicht einfach, sagte Jan.

Wenn ich nicht irre, sagte ich, brauchst du für deine Arbeit einen Fotoapparat. Du hast das Geld dafür bei mir liegenlassen.

Jan setzte sich erst mal neben mich. Er wollte dann wissen, ob jemand bei seinen Eltern zu Hause sei. Ich muß hinzufügen, daß der größere Teil unserer Unterhaltung im Dunkeln verlief. Wir saßen nebeneinander auf den Stufen und warteten darauf, daß es hell wurde und draußen wieder Straßenbahnen fuhren. Wir saßen nicht besonders bequem. Manchmal kann Zeit ungeheuer langsam vergehen. Unser einziges Risiko bestand darin, daß jemand aus Jans Familie kommen könnte und uns so sitzen sah, aber es kam niemand.

50

Wenn ein Wurm in einen Apfel kriecht, ist der Apfel eben wurmstichig. Man kann den Apfel noch so sehr waschen und blankrei-
ben, er kann von außen einfach grandios aussehen, innen bleibt
er wurmstichig. Wer in den Apfel hineinbeißt, wird es sofort
merken. Der Apfel wird auf jeden Fall braune Flecke kriegen,
und da hilft dann meistens kein Ausschneiden, weil der Wurm in
den Kernen sitzt.

Ich kann nicht sagen, ob mein Vergleich so besonders passend
ist. Schließlich bedeutet der Wurm für den Apfel Schicksal. Der
Apfel kann sich gegen den Wurm nicht wehren, selbst wenn er es
wollte. Ich muß sagen, daß ich mich gewehrt habe, und von Jan
darf ich das gleiche behaupten.

Wir fuhren, weil es da nach unserer Erinnerung besonders aufregend gewesen war, in die Umgebung von Poznań. Wir gingen
nicht gerade nach Kórnik, wo es das englische Geister- und Kri-
mischloß gab, denn erstens kannte ich das schon, und zweitens
ist es ein Fehler, wenn man eine Sache in allen Einzelheiten wiederholt. Wir fuhren statt nach Kórnik nach Rogalin. Wir fuhren
mit dem Omnibus. Rogalin ist ein Aristokratenschloß und liegt
in einem Park mit lauter alten Eichen. Rogalin ist ungeheuer
schön und ein bißchen traurig. In dem Schloß von Rogalin gibt es
glatte Fußböden, alte Möbel, eine Menge Bilder und dicke Filz-
latschen für die Besucher. In einem Nebengebäude von Rogalin
gibt es eine Gemäldegalerie mit irr bunten Bildern. In der Umgebung von Rogalin gibt es Buchen, Eichen und viel flaches Land.
Es hätte, rein äußerlich betrachtet, eigentlich genauso werden
müssen wie in Kórnik. Vielleicht war es ein Fehler, nach Rogalin
zu fahren. Vielleicht hätten wir nach Zielona Góra fahren sollen
oder nach Głogów oder meinethalben nach Legnica. Vielleicht
hätten wir nach Gdańsk fahren sollen oder nach Sopot. See wäre
überhaupt erstklassig gewesen. See ist bekanntlich für mich das
Höchste. Als mir das einfiel, war es aber schon zu spät.

Wenn ich sage, daß die Voraussetzungen, rein äußerlich betrachtet, die alten waren, so habe ich damit nicht das Wetter gemeint. Es gibt gar keinen Zweifel, daß in Polen bereits europäisches Festlandklima herrscht, aber für dieses Halbjahr war das Pensum an trockenen heißen Sommertagen jedenfalls erfüllt. Es herrschte nicht gerade Dauerregen, aber es gab viel mehr Wolken als Sonne, und dazu gab es kalten Wind. Für Jan hatte das den Vorteil, daß er nicht unter Insekten leiden mußte. Mir machen Insekten bekanntlich nichts aus. In unserem Schlafsack froren wir dafür mörderlich, und die erste Nacht wurden wir gegen schätzungsweise vier Uhr am Morgen geweckt, weil es regnete. Das Ergebnis war zunächst, daß ich einen Schnupfen hatte und mir die Augen tränten.

Schnupfen ist eine Allerweltskrankheit. Jeder Mensch in unseren Breiten hat pro Jahr zwei-, dreimal Schnupfen. Ich persönlich leide unter Schnupfen gräßlich. Ich weiß genau, daß es mit Schnupfen nichts auf sich hat, aber das ist gar kein Argument dagegen, daß ich jedesmal das Gefühl habe, ich würde demnächst sterben. Auf diese Weise den Tod vor Augen, bin ich unheimlich aggressiv, was irgendwie, finde ich, beinahe verständlich ist. Ich verteidige auf diese Weise mein Leben, und das spricht unter anderem dafür, daß ich mein Leben liebe.

Ich will damit erklären, daß ich diese ganzen Tage vollkommen unleidlich war. Ich weiß nicht, ob nach allem, was gerade hinter ihm lag, Jan darauf hätte Rücksicht nehmen müssen. Bis zu einem gewissen Grade kann ich verstehen, daß er es nicht tat, und selbst wenn ich es nicht verstünde, würde das an den Tatsachen nichts ändern. Wir fingen an uns zu streiten. Wir stritten uns um nichts und um jede Kleinigkeit. Wir stritten uns, weil uns danach zumute war. Es wurde enorm anstrengend. Nach einer Stunde waren wir total erschöpft. Wir machten zirka zwanzig Minuten Pause, um uns zu erholen, danach stritten wir uns weiter. Wir kramten die ältesten Argumente aus unseren Gehirnen und knallten sie uns wechselseitig um die Ohren. Es handelte sich samt und sonders um Dinge, die längst ausgestanden waren und damit so oder so geklärt. Backsteingotik, mein Sturz von der Kiefer, der Verlust eines Brustbeutels, der Aufenthalt bei Kazimierz Gerhart, Jarosław. Mit den kurzen Unterbrechungen, in denen wir kein Wort zueinander sagten, stritten wir uns auf diese blödsinnige Weise den ganzen Tag.

Wir gingen zwischendurch in eine Dorfkneipe essen. Wir stritten uns auch vor der Speisekarte. Es war ein Wunder, daß wir am Ende doch noch jeder einen Teller vor uns hatten. Ich würde sagen, unsere Mägen waren an diesem Tag noch das Vernünftigste an uns. Draußen gab es Regenschauer.

Die gingen wieder fort, und der Abendhimmel war vollständig klar und zum Abschluß regelrecht rosig. Jan wollte mit mir in ein Hotel gehen. Ich wollte es nicht. Jan behauptete, es würde regnen. Ich behauptete das Gegenteil. Was den Regen betraf, würde ich recht behalten. Ich war bei allen meinen Vorhersagen von polnischem Wetter immer ziemlich gut. Ich hatte aber Schnupfen, und eine Nacht in einem ordentlichen Hotelbett hätte mir bestimmt gutgetan. Ich wollte trotzdem in meinem Schlafsack übernachten und unter fünf Birken. Ich wollte es, weil Jan es nicht wollte. Der Schlafsack war mein Besitz, und ich drohte damit, ich würde, wenn Jan nicht mitzog, dann eben allein unter den Birken schlafen, ein wehrloses Opfer für Bären und Lustmörder. Es spricht für Jans Edelmut, daß er den Schlafsack mitbenutzte. Wir stritten uns noch, als wir nebeneinanderlagen und die Birken raschelten. Mit Liebe war bei mir nichts drin wegen meines Schnupfens. Diese Nacht im Freien war, obwohl es nicht regnete, regelrechtes Gift für mich. Ich bin, wenn ich Schnupfen habe, einfach nicht normal.

51

Wir schleppten unseren Streit auch den nächsten Tag weiter, der noch windiger und auf jeden Fall kälter werden würde als der vorige. Unser Streit war inzwischen ein ausgewachsener Kerl mit einem dicken Bauch geworden. Solche Kerle sind zäh. Sie behaupten ihr Recht auf Existenz, und sie lassen sich nicht so ohne weiteres töten.

Wir gingen an diesem Tag in eine Kirche. Sie stand in einem Dorf, dessen Namen ich vergessen habe. Die Kirche war nicht groß, und sie war nicht besonders. Keinesfalls handelte es sich darum, daß Jan plötzlich wieder katholisch geworden war oder daß ich selber katholisch werden wollte. Die Sache hatte mit meinem Schnupfen zu tun. In dem Dorf gab es gerade Regen, und für meine Erkältung war es besser, wenn ich nicht naß wurde. Wir sahen keine Kneipe, dafür sahen wir die Kirche. Katholische Kirchen sind durchgehend geöffnet, was ein Vorteil ist.

Schnupfen erzeugt bei mir Fieber. Das ist kein hohes Fieber, aber es ist da. Ich werde davon schwindelig. Ich werde regelrecht besoffen. Diese Besoffenheit ist sehr unangenehm, weshalb sich niemand wundern darf, wenn ich auch sonst nicht viel von Besoffenheit halte.

In der Kirche wurde Orgel gespielt. Die Orgel klang nicht großartig und nicht schlecht. Ich vermute, der Mensch, der an der Orgel saß, übte sein Pensum. Draußen ging der Regen herunter. Wir setzten uns, Jan und ich, in eine Kirchenbank. Weil die Orgel, wie alle Orgeln, ziemlich laut war, hatten wir keine Gelegenheit, uns zu streiten. Vielleicht hätten wir das auch ohne Orgel nicht getan. Kirchen sind im allgemeinen wenig geeignet, daß Leute, die darin sitzen, sich miteinander unterhalten oder streiten, denn die Aufgaben von Kirchen sind anders und meistens innerlich.

Die Kirche war in jeder Hinsicht klein. Es gab einen Altar, ein Kruzifix, eine Kanzel und drei Standbilder. Vor zwei von den Standbildern brannten Kerzen. Eins von den Standbildern stellte eine Frau dar. Außer dem Orgelspieler, den wir nicht sahen, waren wir, Jan und ich, die einzigen Leute in der Kirche.

Polen ist unter anderem ein katholisches Land. Die katholische Religion hat ungeheuer viele Heilige, und manche von den Heiligen tun Wunder. Ich weiß nicht, ob das heute auch noch so ist. Ich könnte mir denken, daß es damit allmählich weniger wird. Die katholische Religion ist aber mächtig alt, und im Lauf der Jahrhunderte haben sich enorm viele Heilige ergeben. Es muß ja nicht gleich ein lebendiger Heiliger sein, wenn Wunder passieren.

Ich sah mir die weibliche Figur neben dem Altar an. Sie war aus Holz geschnitzt. Sie war bunt bemalt. Ich hatte keine Ahnung, um wen es sich bei der Figur handelte. Ich wußte nur, daß es nicht die Muttergottes sein konnte, weil die Figur hier kein Kind bei sich hatte. Ich dachte darüber nach, ob die Figur vielleicht die heilige Brigitte war. Ich hatte keine Ahnung, wie die heilige Brigitte als Standbild aussehen muß. Vor der Figur hier standen drei brennende Kerzen. Die Figur sah ihrerseits die Kerzen nicht an, sondern hatte den Kopf leicht gedreht, zum Fenster hin.

Draußen war, wie gesagt, der Regen. Die Orgeltöne gingen regelmäßig auf und ab, daß es hervorragend zu dem Regen paßte.

Die weibliche Heilige drehte plötzlich den Kopf von ihrem Fenster fort und bewunderte erst mal die brennenden Kerzen. Dann hob sie den Kopf und sah mich an. Sie kniff dabei ein Auge zu.

Ich war völlig geschafft. Ich wollte es nicht glauben. Die Heiligenfigur kniff zur Abwechslung das andere Auge zu. Auf das Orgelspiel hatte das alles keinen Einfluß. Auch die Kerzen brannten ruhig weiter, weil ja Wunder im allgemeinen wenig Wind machen, es sei denn, daß es sich um Wind-Wunder handelt.

Gittie Marczinkowski war geschafft. Sie wußte, daß sie Schnupfen hatte und Schnupfenfieber hatte und nicht normal war. Zur Vorsicht befühlte sie ihre Stirn. Die Stirn war heiß, aber sie hatte die üblichen Formen.

Gittie sagte: He!

Die Orgel war unverändert laut, aber die Heilige schien zu hören, daß Gittie Marczinkowski was gesagt hatte, trotz der Orgel.
Sie zwinkerte jetzt mit beiden Augen und sagte: Na?
Ich ziehe es vor, für eine Weile von mir als Gittie Marczinkowski
zu sprechen. Ich will damit andeuten, daß, was da passiert ist,
vollkommen unmöglich war, und ich lehne jede Verantwortung
ab. Wenn schon Wunder passieren, kann es auch sein, daß ich
und Gittie Marczinkowski zwei verschiedene Personen sind.
Nachdem die Heilige also nicht bloß ihren Kopf drehen und mit
den Augen zwinkern, sondern auch noch sprechen konnte, sagte
Gittie Marczinkowski: Wer sind Sie? Duze mich, mein Kind,
sagte die Heilige. Unsereins lebt vom familiären Ton und hat es
nicht gern, wenn der Eindruck entsteht, man sei unbekannt.
Ich bin Atheistin, sagte Gittie.
Das weiß ich, sagte die Heilige.
Ich vermute, daß du Brigitte bist, sagte Gittie, ich meine, die
Heilige aus Schweden.
Ich ziehe den Namen Birgid vor, sagte die Heilige, meinethalben
Brigid. Es klingt schwedischer, und du hast völlig recht, daß ich
eigentlich dort zu Hause bin.
Was willst du von mir?
Ich halte es für an der Zeit, sagte die Heilige, daß du endlich mit
dir ins reine kommst.
Ich habe keine besonderen Probleme.
Du hast sie durchaus.
Ich habe höchstens Schnupfen.
Der ginge schneller fort, wenn du dich in ein anständiges Bett le-
gen würdest.
Ich stehe auf Schlafsack.
Das ist kindisch. Du hast in den letzten Wochen eine Menge
Dummheiten gemacht. Allmählich ist es an der Zeit, daß du er-
wachsen wirst. Genau deswegen rede ich mit dir.
Wenn ich den Schnupfen abziehe, sagte Gittie, bin ich mit den
letzten Wochen eigentlich ganz zufrieden.
Gehen wir methodisch vor, sagte die Heilige. Wenn ich es recht
sehe, bist du ursprünglich durchgebrannt.

Ich hatte meine Gründe.

Als spontaner Akt kann Durchbrennen ganz hübsch sein, als Lebenshaltung ist es ein bißchen mager.

Das müßte erst noch bewiesen werden.

Gut, sagte die Heilige, reden wir auch darüber. Du bist vier Wochen herumgezogen.

Ich wollte nach Jarosław.

Da bist du nicht gewesen.

Ich kann immer noch hingehen.

Da käme allmählich der Herbst heran. Schlafsäcke sind nicht besonders gut in kalten Nächten. Denk an deinen Schnupfen.

Ich werde meinen Schnupfen auskurieren. Ich werde mit Jan irgendwas anderes anfangen.

Im Augenblick streitet ihr euch.

Wir werden uns auch wieder vertragen.

Eure Fähigkeit zum Streiten ist immer beachtlicher geworden. Ich erkenne eine steigende Tendenz.

Das ist Ansichtssache.

Kennst du ihn überhaupt richtig?

Ich bilde es mir ein.

Du kennst seine Haare und seine Haut. Das ist eine Menge, aber es ist nicht alles. Hast du zum Beispiel eine Ahnung, was er für Pläne hat? Kennst du seine Freunde?

Manchmal haben wir Sprachschwierigkeiten. Er ist Pole, und ich bin es nicht.

Er ist eine Weile mit dir gelaufen, weil es ihm ganz gut gepaßt hat. Auf seine Weise ist er nämlich ebenfalls davongelaufen.

Ich sage doch: im Grunde passen wir zusammen.

Leute mit gleichen Fußkrankheiten gehen zusammen nicht besser als einzeln. Wenn einer von ihnen ausrutscht, kann es sogar besonders eklig werden.

Fußkrankheiten können sich manchmal auswachsen.

Sicher. Man muß nur etwas dagegen tun.

Nämlich?

Du könntest dich allmählich um eine Alternative kümmern.

Ich weiß keine.

Wenn du einen Rat hören willst: solange du wegläufst, wird dir auch keine einfallen.

Was ist anders, wenn ich nicht mehr laufe?

Du wirst gezwungen sein, eine Alternative finden zu *müssen*. Es ist nämlich ein Unterschied, diesen Zwang bloß als lässiges Reisegepäck zu haben oder als Teller, von dem man essen muß, weil man sonst verhungert. Sozusagen.

Hör mal, sagte Gittie Marczinkowski, allmählich erregt, woher nimmst du eigentlich das Recht, so zu reden?

Weil du in einer Kirche sitzt. Weil sich die Kirche in Polen befindet. Weil ich vor dreihundert Jahren mit Zygmunt Wasa aus Schweden gekommen bin. Weil mich der Holzschnitzer Paweł Bogusławski aus Gniezno vor achtundsiebzig Jahren hier aufgestellt hat.

Gut, sagte Gittie Marczinkowski, und was verlangst du?

Ich? sagte die Heilige. Nichts, sagte sie, nichts Bestimmtes. Ich wollte dir nur die Augen öffnen. Ich hoffe, es ist mir irgendwie gelungen.

Ich will jetzt etwas hören! schrie Gittie Marczinkowski ohne Rücksicht auf Kirche, Orgelspiel, Ehrfurcht und ihren Nachbarn Jan auf der dunkelgebeizten Holzbank. Ich bin bereit, schrie sie, jeden Vorschlag zu diskutieren. Daraufhin fing die Heilige an zu deklamieren. Gittie Marczinkowski war früher eine hervorragende Schülerin gewesen, weshalb sie beispielsweise auch die im Literaturunterricht vorgeschriebenen Theatertexte gründlich gelesen hatte. Manche dieser Texte hatten Verse. Fausteins von Goethe hatte gereimte Verse. Die Heilige wechselte das Standbein und fing an, Verse mit Goethereimen zu deklamieren, nämlich:

Mehr als die Menschen in ihre Religionen
Hineintun kann üblicherweise nicht darin wohnen
Das sagt dir zur Heiligen gewordenen kraft Visionen
Birgid geboren im schwedischen Finstad
Die sich beeilt wieder wortlos zu thronen
Zumal auch das Orgelspiel nunmehr ein Ende hat.

Das Orgelspiel endete tatsächlich. Gittie Marczinkowski schrie noch: Ich habe keine Religion! Religion ist überhaupt kein Argument!, aber die Heilige reagierte nicht mehr darauf. Sie fand ihr altes Standbein wieder. Dann drehte sie ihren Kopf zurück in Richtung Fenster. Das Holz gab ein knarrendes Geräusch von sich, denn Lindenholz im Alter von achtundsiebzig Jahren ist trocken und überhaupt nicht mehr elastisch. Weil keine Orgel mehr spielte, war das Knarren sehr laut und hatte einen kirchenmäßigen Nachhall.

Ich blickte auf Jan. Er starrte auf das Holz der Banklehne vor sich und schien sich ungeheuer für die Maserung des Holzes zu interessieren. Vielleicht hatte er das Knarren für einen letzten Orgelton gehalten. Vielleicht hatte er das Knarren überhaupt nicht gehört. Vielleicht hatte das Knarren nur Gittie Marczinkowski gehört. Wenn ich Jan gewesen wäre, hätte ich die Unterhaltung zwischen meiner Nachbarin und einer Heiligen zweifellos aufmerksam verfolgt, denn so was passiert nicht jeden Tag. Jan wirkte vollkommen unbeteiligt. Ich schloß daraus, daß er auch die Unterhaltung nicht gehört hatte. Ich schloß daraus, daß er die Unterhaltung nicht hatte hören können. Die Unterhaltung war aussschließlich auf zwei Brigitten beschränkt gewesen, eine heilige und eine gewöhnliche. Wunder haben offenbar ihre eigene Technik. Gittie Marczinkowski hatte Schnupfen und Schnupfenfieber. Ich entschloß mich kurzerhand, das Gespräch zwischen der Heiligen und Gittie Marczinkowski für eine Mischung aus Selbstgespräch und Schnupfen zu erklären. Alles, was Gittie Marczinkowski gehört hatte, hätte sie sich auch selber sagen können. Ich hatte bisher, nach meiner Uhr, höchstens drei Minuten auf der Bank gesessen. Das Gespräch zwischen Gittie Marczinkowski und der Heiligen hätte, Wort für Wort, sieben, acht Minuten dauern müssen. Zusammen mit dem Orgelspiel hatte auch der Regen aufgehört. In der Kirche war es kühl. Wir standen auf und gingen wieder zur Tür. Neben der Tür hing eine Art Schwarzes Brett. Wir hatten es vorher nicht bemerkt. Es gab auch keinen Grund zu der Vermutung, daß an dem Brett irgendwas Bemerkenswertes hing. Ich sah ein paar Zettel mit polnischen Worten. Ich konnte sie nicht lesen. Ich vermute, es handelte sich um irgendwelche Gemeindenachrichten. Ich entdeckte an dem Brett noch einen längeren Schrieb. Er war mit der Maschine getippt, und der Text war erst mal polnisch und hinterher deutsch. Der deutsche Text war nicht ganz fehlerfrei. Ich kann beschwören, daß ich weder diesen Text noch das ganze Brett beim Hereinkommen auch bloß bemerkt hatte. Der deutsche Text teilte mit, die Kirche sei dreihundert Jahre alt; der Altar sei eine Barockarbeit aus Schlesien und die geschnitzten Heiligenfiguren, ein hl. Paulus, ein hl. Sebastian und eine hl. Birgid, seien vor achtundsiebzig Jahren geschaffen worden, durch den Holzbildhauer Paweł Bogusławski aus Gniezno.

52

Wir fuhren mit dem Omnibus zurück nach Poznań. Wir stiegen in eine Straßenbahn und fuhren bis zum Hauptbahnhof. Wir lösten zwei Fahrkarten. Wir hatten eine Stunde Zeit, und wir setzten uns in den Wartesaal. Ich trank zwei Gläser Kaffee und einen Wodka. Jan trank einen Kaffee und einen Wodka. Er rauchte enorm viel. Meinem Schnupfen bekam der Kaffee nicht besonders.

Im Zug setzten wir uns in ein Abteil erster Klasse. Jan hatte auf erster Klasse bestanden, und ich war dagegen gewesen. Jan hatte sich durchgesetzt, weil ich unter meinem Schnupfen litt. Wir hatten das Abteil für uns allein. In dem ganzen Erster-Klasse-Wagen gab es höchstens acht Fahrgäste, eingerechnet uns.

Hinter dem Fenster zeigten sich Kiefern und Birken, auch mal Buchen. Ich sah sie mir eine Weile an. Danach fragte ich Jan, ob er in Warschau Freunde hätte. Jan erzählte mir, daß er in Warschau ein winziges Zimmer bewohnte, zusammen mit einem anderen Jungen, der Philosophie studierte. Jan erzählte ziemlich aufgeräumt. Es war ihm anzumerken, daß ihm die Erinnerung Spaß machte. Nach Jans Bericht mußte der Junge, mit dem er zusammenwohnte, eine Art Denkgenie sein, dafür bekam er keinen Nagel in die Wand, um daran beispielsweise ein Leninbild aufzuhängen, denn dieser Junge war Kommunist, eingeschriebener, und Jan erwähnte noch, er stünde ziemlich unter dem Einfluß seines Freundes. Ich hätte mir diesen Jungen gerne angesehen. Jan erzählte sehr ausführlich von Warschau. Während ich ihm zuhörte, bereute ich es enorm, daß wir in diesem Augenblick nicht nach Warschau fuhren, sondern in die entgegengesetzte Richtung.

Wir fuhren ungefähr zwei Stunden. An der Grenze kamen erst polnische, danach deutsche Jungs in Uniformen, um unsere Pässe zu sehen. In Frankfurt war gerade wieder Regen. Ich kann nicht erklären, warum ich, als ich das Schild mit dem Namen Frankfurt las, ein eigentümlich ziehendes Gefühl unterhalb der

Rippen hatte, und dieses Gefühl war nicht direkt unangenehm.

Der Zug fuhr weiter und war eine Dreiviertelstunde später in
Berlin. Wir hatten zuletzt nicht mehr besonders viel geredet. Der
Ostbahnhof ist kein aufregender Bahnhof. Er ist groß und nackt.
Ich hörte, wie die Leute Deutsch mit Berliner Akzent redeten.
Das ziehende Gefühl unterhalb von meinen Rippen verstärkte
sich. Es war überhaupt kein schlechtes Gefühl, aber ich kann
nicht ausschließen, daß es mit meinem Schnupfen zusammen-
hing. Nachdem ich vier Wochen von Berlin fort gewesen war,
fand ich, trotz meines Schnupfens, daß Berlin einen bestimmten
Geruch hat, und dieser Geruch tat mir gut. Berlin ist keinesfalls
die Hauptstadt der Welt. Es gibt Leute, die so was behaupten.
Berlin ist nicht mal meine persönliche Hauptstadt. Ich bin bloß
in Berlin geboren und aufgewachsen und bin an Berlin gewöhnt.

Der Ostbahnhof gibt kein großartiges Bauwerk ab, aber verglichen mit anderen Berliner Bahnhöfen, beispielsweise Lichtenberg, ist er beinahe vollkommen. Von Lichtenberg fahren die
Züge nach Anhalt und Thüringen, vorausgesetzt, daß sie aus dem
Norden kommen. Von Lichtenberg fahren fast alle Züge nach
Stralsund, Rostock und Schwerin. Im Sommer sind die Züge
nach Norden meistens überfüllt, weil im Norden die Ostsee
liegt. Augenblicklich war immer noch Sommer, wenn auch bloß
nach dem Kalender, denn es gab wieder Regen.

Wir fuhren vom Ostbahnhof mit der S-Bahn Richtung Straus-
berg. Wir fuhren Warschauer Straße, Ostkreuz, Nöldnerplatz.
Die S-Bahn war total mit Menschen vollgestopft, weil früher
Abend war und Berufsverkehr. Wir stiegen Lichtenberg aus. Ich
will über den Bahnhof kein weiteres Wort verlieren. Wir gingen
auf den Bahnsteig C. Der Zug Richtung Rostock wurde gerade
auf das Gleis geschoben und blieb komischerweise, als die Leute
eingestiegen waren, beinahe halbleer. Vielleicht war gerade kein
Wechsel in den Seebädern. Vielleicht war der Sommer, obwohl
es der Kalender anders wußte, an der See prinzipiell zu Ende. Mir
lief fortwährend die Nase. Ich konnte absehen, wann mein letz-

tes Taschentuch nicht mehr brauchbar war. Jan verstaute seinen Rucksack in einem Abteil. Bei diesem Zug belegte er die zweite Klasse. Ich hatte ihn nicht dazu bringen können, einen Fotoapparat zu kaufen. Jan sagte, es gebe überall genügend Ansichtspostkarten, außerdem könne er zeichnen.

Wir standen vor dem Wagen, und die Tür war geöffnet. In einem offenen Fenster hing ein dürrer Typ mit Brille und rauchte eine Zigarette. Ich trampelte von einem Fuß auf den anderen und sagte schließlich: Schreibst du gern Briefe?

Es kommt darauf an, sagte Jan.

Meine Briefe sind total konfus, sagte ich, außerdem schreibe ich sie überhaupt nicht gern.

Die Uhrzeiger bewegten sich ungeheuer langsam. An dem Bahnhofskiosk drängten sich die Leute nach Bier in Pappbechern und nach heißer Bockwurst. Ich war fortwährend mit meiner laufenden Nase beschäftigt. Der Lautsprecher sagte, der Zug nach Rostock würde jetzt abfahren und die Leute sollten die Türen schließen.

Jan hing im Fenster neben dem dürren Typ mit Brille. Der Regen hörte gerade mal wieder auf. Eine Frau rannte auf den Zug zu, stolperte dabei über meine Reisetasche und fing an zu schimpfen. Ich konnte nicht ausmachen, ob sie auf die Reisetasche schimpfte oder auf sich selber. Hätte sie eindeutig auf die Reisetasche geschimpft, hätte ich sie vermutlich in ein längeres und ernsthaftes Gespräch verwickelt, und sie hätte danach garantiert ihren Zug versäumt.

Dieser Zug fing jetzt an zu fahren. Er wurde von einer Diesellokomotive gezogen, die war mit roter und mit gelber Farbe gestrichen. Ich sagte Jan, wenn er durch Berlin zurückkäme, könne er mich besuchen. Jan sagte, das würde er sicher tun. Ich lief sieben, acht Schritte neben dem fahrenden Zug. Ich ließ die anderen Wagen an mir vorüber. Ich finde Winken albern, deshalb winkte ich auch nicht. Ich sah, wie der letzte Wagen an mir vorüberfuhr und allmählich kleiner wurde. In mir machte es Kneks.

Mir fiel ein, daß Jan überhaupt nicht wußte, wo ich wohne. Ich hatte es ihm nie gesagt, und er hatte mich nie gefragt. Wir stehen nicht im Telefonbuch. Jan würde große Schwierigkeiten haben, wenn er mich in Berlin suchten sollte, vorausgesetzt, daß er überhaupt die Absicht hatte. Berlin ist eine unheimlich große Stadt.

53

Was danach noch war, ist nicht mehr besonders wichtig, und obwohl inzwischen eine Menge Zeit vergangen ist, habe ich das Gefühl, daß neuerdings ein Tag ungefähr halb soviel enthält wie irgendeine Stunde in Polen. Ich will trotzdem erwähnen, daß sich eine verdammt ulkige Situation ergab, als ich plötzlich wieder in unserer Wohnung stand. Ich hatte runde zwei Dutzend Gespräche zu führen. Es muß an meiner angegriffenen Gesundheit gelegen haben, daß diese Gespräche nur am Anfang kriegerisch waren.

Ich kurierte danach meinen Schnupfen aus. Das ging gar nicht so einfach, weil der Schnupfen sich ungeheuer hartnäckig zeigte. Ich trottete schließlich in die Poliklinik, wo sie mir mit einem Draht im Kopf herumstocherten, und anschließend bliesen sie mir aus einer Gummipumpe Luft durch die Nase. Es war alles ziemlich eklig. Ich brauchte, um den Schnupfen loszuwerden, beinahe drei Wochen. Ich ging in dieser Zeit manchmal spazieren, Pankow oder Friedrichshain oder Grünau.

Ich werde ab morgen arbeiten, im Interhotel Unter den Linden, Ecke Friedrichstraße. Interhotels sind alle miteinander stinkfeine Kästen. Berlin hat davon gleich drei. Ich werde in dem stinkfeinen Interhotel Unter den Linden Hotelkaufmann lernen. Meine Leute haben mir diese Stelle besorgt und behaupten, das Besorgen wäre schwierig gewesen. Hotelkaufmann wäre ein enorm interessanter Beruf. Man käme mit einer Menge interessanter Leute zusammen. Mein Hunger auf Leute, von denen behauptet wird, daß sie interessant sind, ist ungeheuer mäßig. Ich muß in dieser Stelle auch Sprachen lernen, und Sprachen sind natürlich irgendwie gut. Vielleicht sollte ich bei dieser Gelegenheit Polnisch lernen, obwohl Polnisch ziemlich kompliziert ist.

Ich kann vorläufig kein Wort dazu sagen, was ich von dieser Stelle halten soll. Ich werde sie mir ansehen. Sie ist ganz bestimmt nicht das, was ich mir immer gewünscht habe. Ich muß zugeben, daß, wenn man mich fragen würde, was ich mir eigentlich gewünscht habe, ich nur eine unklare Antwort geben könnte, aber das hier wäre es jedenfalls nicht. Ich werde es trotzdem versuchen. Ich werde auf jeden Fall Polnisch lernen. Ich hatte eine Großmutter, die kam aus Jarosław. Jarosław ist eine kleine Stadt in Ostgalizien, auf der Strecke zwischen Krakau und Przemýsl.

Erläuterungen

Barkas: Kleinlastwagen aus DDR-Produktion

Be-E (BE): Berliner Ensemble. Das durch Bertolt Brecht berühmt gewordene Theater am Schiffbauerdamm

Be-Zet-A (BZA): die einzige Abend- und Boulevardzeitung der DDR-Hauptstadt

Buch: zum Bezirk Berlin-Pankow gehörender Stadtteil, wo die DDR-Akademie der Wissenschaften naturwissenschaftliche Forschungsstätten unterhält

Busch, Ernst: Schauspieler und Sänger proletarischer Lieder, bekannt geworden durch die Interpretation von Brecht-Songs

Camera: das Cinéasten-Kino der DDR-Hauptstadt

Charité: vom Preußenkönig Friedrich Wilhelm I. begründetes Krankenhaus im Berliner Zentrum. Universitätsklinik

Dathe: Heinrich Dathe ist der durch Publikationen und Fernsehsendungen populär gewordene Direktor des Tierparks in Berlin-Friedrichsfelde

Datsche: nach dem russischen »Datscha«. In der DDR übliche Bezeichnung für ein privates Wochenend- und Sommerhaus

Defa: die staatliche Filmgesellschaft der DDR

Ef-De-Ge-Be (FDGB): Freier Deutscher Gewerkschaftsbund. Dachorganisation der Einzelgewerkschaften in der DDR. Betreibt unter anderem Ferienplatzvermittlung in organisationseigene Urlaubsheime

Ef-De-Jot (FDJ): Freie Deutsche Jugend, die Jugendorganisation der DDR. Die Bekleidung *(blaue Klamotten)* bei offiziellen Anlässen sind blaue Uniformhemden

El-Pe-Ge (LPG): Landwirtschaftliche Produktionsgenossenschaft. Die Agrarwirtschaft in der DDR wird überwiegend durch diese Form der bäuerlichen Kooperative repräsentiert

En-Be-I (NBI): Neue Berliner Illustrierte. Die größte illustrierte Wochenzeitung der DDR

En-De (ND): Neues Deutschland. Die größte Tageszeitung der DDR, Zentralorgan der SED

En-Vau-A (NVA): Nationale Volksarmee. Die bewaffneten Streitkräfte der DDR

E-O-Es (EOS): Erweiterte Oberschule. Umfaßt die 8. bis 12. Schulklasse und führt zum Abitur. Sie basiert auf der zehnklassigen Allgemeinbildenden Oberschule (AOS), deren Besuch in der DDR Pflicht ist

Exquisit: staatliche Ladenkette für gehobene Textilwaren

Felsenstein: gemeint ist die von Walter Felsenstein gegründete und geleitete Komische Oper in Berlin

Ha-O (HO): übliche Abkürzung für Geschäfte der staatlichen Einzelhandelsorganisation in der DDR

Krug, Manfred: in der DDR populärer Schauspieler und Jazz-Sänger

Laurentia: nach 1950 in der DDR populäres Volkstanzlied, aus Rumänien übernommen

Magistratschirm: Jargon für den Hochbahntrakt entlang der Schönhauser Allee

Metropol: das Operettentheater der DDR-Hauptstadt

Narva: Firmenname des Berliner Glühlampenwerkes an der Warschauer Brücke

Nationale Front: organisatorischer Zusammenschluß aller politischen Parteien und Massenorganisationen in der DDR

Newa: bevorzugt von Ausländern frequentiertes Hotel hinter dem Oranienburger Tor

Parteidokument: gemeint ist das Mitgliedsbuch der SED

Stabü: Staatsbürgerkunde. In der DDR obligatorisches Schulfach

Trabant: Kleinwagen aus DDR-Produktion

Vau-E (VE): volkseigen. Volkseigene Betriebe (VEB) heißen in der DDR alle vergesellschafteten und staatlichen Produktionsbetriebe

Vau-Pe (VP): Volkspolizei. Sammelbezeichnung für alle dem DDR-Innenministerium unterstehenden Polizeikräfte

Wochenpost: die größte Sonntagszeitung der DDR

Wolga: Mittelklassewagen sowjetischer Produktion

Literatur der DDR in der Sammlung Luchterhand
(Eine Auswahl)

Blaue Kinderschaukel
Ein Lesebuch zur Geschichte der Kinderliteratur in der DDR
Herausgegeben von Reinhild Schoeller. Mit zahlreichen
Abbildungen. Sammlung Luchterhand Band 278

Wolfgang Emmerich: Kleine Literaturgeschichte der DDR
Sammlung Luchterhand Band 326

Geschichten aus der Geschichte der DDR 1949 - 1979
Herausgegeben von Manfred Behn.
Sammlung Luchterhand Band 301

Karoline von Günderrode: Der Schatten eines Traumes
Gedichte, Prosa, Briefe, Zeugnisse von Zeitgenossen.
Herausgegeben und mit einem Essay eingeleitet von Christa Wolf
Sammlung Luchterhand Band 348

Hermann Kant: Der Aufenthalt
Roman. Sammlung Luchterhand Band 294

Hermann Kant: Ein bißchen Südsee
Erzählungen. Sammlung Luchterhand Band 264

*Sarah Kirsch / Irmtraud Morgner / Christa Wolf:
Geschlechtertausch*
Mit einem Nachwort von Wolfgang Emmerich.
Sammlung Luchterhand Band 315

*Irmtraud Morgner: Leben und Abenteuer der Trobadora Beatriz
nach Zeugnissen ihrer Spielfrau Laura*
Roman. Sammlung Luchterhand Band 223

*Irmtraud Morgner: Die wundersamen Reisen Gustav des
Weltfahrers*
Lügenhafter Roman mit Kommentaren.
Sammlung Luchterhand Band 350

*,,Lieber Freund, ich komme weit her schon an diesem frühen
Morgen''. Caroline Schlegel-Schelling in ihren Briefen*
Herausgegeben und mit einem Essay eingeleitet von
Sigrid Damm. Sammlung Luchterhand Band 303